《花の詩《し》画《が》集《しゅう》》

鈴《すず》の鳴《な》る道《みち》

星野富弘

もくじ

詩《し》画《が》

よめな

きんもくせい

随《ずい》筆《ひつ》

ブックデザイン……杉《すぎ》浦《うら》範《はん》茂《も》

朝《あさ》から晩《ばん》まで

〈序《じょ》にかえて〉

毎日、無意識《むいしき》に繰《く》りかえしていることでも、一つ一つ言葉にするとなると、大変なことである。

たとえば、寝《ね》がえりをうったり、顔を洗ったり、ひげを剃《そ》ったり……いちいちそれを言葉にしてからおこなう。もっと細《こま》かくいえば、ごはんを食べていて、次に口に入れるのは、さかなにするか、たくあんにするか、みそ汁《しる》にするか……みそ汁ならば、汁にするか実《み》にするかまで言う。

本を読む時も、何という本を読むかから始まって、本と眼《め》の距離《きょり》、本の角《かく》度《ど》、ページをめくるに至《いた》るまで言うのである。

書いていくと限《きり》がないが、こんな口うるさい男と結婚《けっこん》したら、お嫁《よめ》さんは

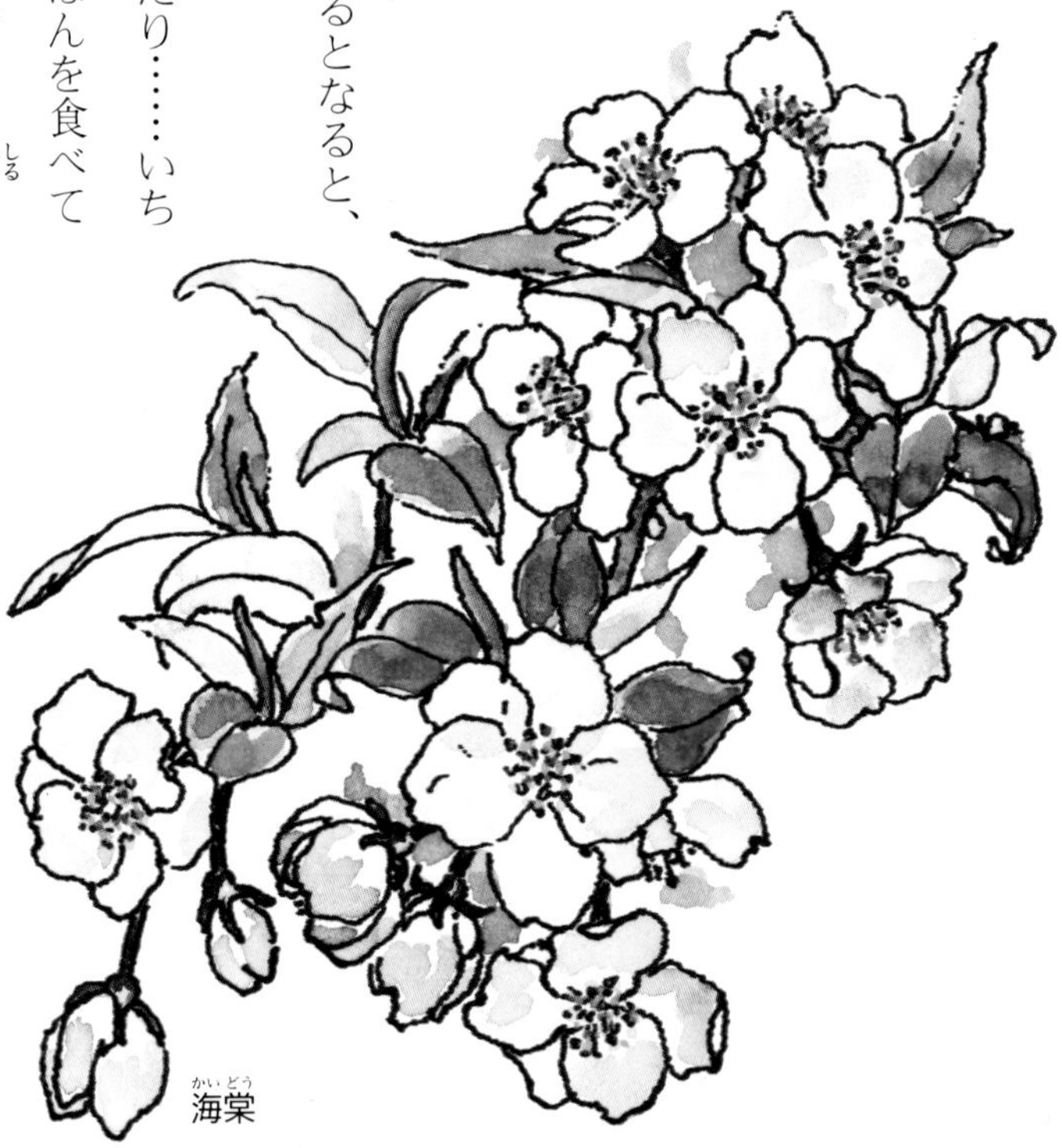

海棠《かいどう》

何日、辛抱《しんぼう》できるだろう。
実《じつ》は、このうるさい男というのは、私なのである。誰《だれ》もが黙々《もくもく》とおこなっている生活の一つ一つに、私が言葉を使わなければならなくなったのは少し理由《りゆう》がある。

私は、十六年ほど前に首の怪我《けが》がもとで、手と足が動かなくなってしまった。以来《いらい》、自分の手や足ですることを全部、妻《つま》や母や弟夫婦《おとうとふうふ》に助けてもらいながら、一日のほとんどをベッドの上で過《す》ごしている。そこでどうしても、自分の思うようにやってもらうためには、小さなことにも言葉を添《そ》えなければならないのである。小さなことほど、多くをしゃべらなければならない時もある。

そういう私と承知《しょうち》の上で結婚《けっこん》したのだから、妻《つま》も少しくらいのことでは音《ね》をあげないが、初《はじ》めの頃はずいぶん疲《つか》れたらしい。

結婚して一年目くらいの時だったろうか、夕方《ゆうがた》買い物に行った妻を、電動《でんどう》車椅子《くるまいす》（首の動きで運転《うんてん》する）で途中《とちゅう》まで迎《むか》えにいったことがあった。

夕焼《ゆうや》けのたんぼ道を、買い物かごをさげた妻《つま》と並んで歩く姿《すがた》を想《おも》いながら待っていると、妻が夕日を背に自転車で走ってきた。私を見つけた顔が、遠くからでも微笑《ほほえ》んでいるのがわかるような気がした。

妻はペダルを思いきり踏《ふ》んで、ぐんぐん近づいてきた。自転車は、私の前で急ブレーキの音をたてて止まるはずだった。「はずだった。」といったのは、そこで私の思っていたことが起《お》こらなかったからである。

秋・スケッチ
窓から見える前の山

彼女《かのじょ》は私の前まで来ると、さらにスピードを上げて通りすぎてしまった。声をかける余裕《よゆう》もなく、おそらく私は夕日のような口を開《あ》けて、ぽかんとしていたのにちがいない。私の方にちらっと顔を向けたのが、せめてもの慰《なぐさ》めだったが、家に帰ってから、そのことで初めてけんかをした。

「ずうっと朝から晩《ばん》まで一緒《いっしょ》にいるんだもの。たまには離《はな》れたくなる時だってあるのよ。」と妻《つま》が言い、私もそこで「それは、そうだ。」と言えば良かったのだが、それは後で考えることで、その時は天に唾《つば》を飛ばしながら、勝ち目のない戦《たたか》いをやってしまった。

けんかをしていても夕食の時間はくる。抱《だ》きあげてもらって、車椅子《くるまいす》からベッドに移らなければならない。着《き》替《が》えもしなければならない。歯《は》もみがかなければならないし、排尿排便《はいにょうはいべん》も手伝ってもらわなければならない。けんかをしながらそれをするということは、かなり難《むずか》しいことである。心が二つも三つもなければならない。

腹《はら》をたてている妻《つま》は、手元《てもと》が狂《くる》ったといって、私の鼻《はな》の穴《あな》に歯《は》ブラシを突《つ》っこんでしまうこともできるのだが、今のところ、そのような被害《ひがい》にあってはいない。

「……だいたい俺《おれ》は口数《くちかず》が多すぎる。世話《せわ》をしてくれる者に任《まか》せてしまえばいいんだ。」

そんなことを自分に言い聞かせながら、しゃべるのを少なくしようと考えることもある。

秋・スケッチ
家の近く

先日も妻《つま》に任《まか》せっぱなしで食事をしていたら、おかずが口に運ばれてくるばかりで、いくら待っても、ごはんを食べさせてもらえない。同じ箸《はし》で、私に食べさせながら自分も食べているので、妻《つま》は私の口に入れたおかずを、自分で食べたと勘違《かんちが》いして、自分では、ごはんばかりを食べていたのである。

またある時は、引き受けている雑誌《ざっし》の仕事で、椿《つばき》の花が鮮《あざ》やかな色のまま地面に落ちている「落《お》ち椿《つばき》」を描《か》こうと思い、言葉を短くして妻に言った。

「椿の花が落ちているのを描くから、ざるに入れて持ってきてくれる？」

「任《まか》せといて。」とばかりに出かけていった妻は、花のない椿の枝を一枝、ざるにのせて運《はこ》んできた。花が落ちた枝を描《か》くのかと思ったのだそうだ。やはり、言うべきことは言わないと、だめなようである。

結婚する時相談《そうだん》にのってくれた、舟喜牧師《ふなきぼくし》が話してくれたことを思いだす。

「長く一緒《いっしょ》にいればいるほど、ますます違《ちが》いがわかるものです。でも、二人の考え方が違うからこそ進歩《しんぽ》があるのです。違《ちが》いを認《みと》めあって、良い家庭をつくってください。」

苦労《くろう》して、さまざまな出来事を乗《の》りこえてきた老夫婦《ろうふうふ》のように、少ない言葉で、お互《たが》いに心が通じあえるようになるのは、遙《はる》か先のことなのだろうと思う。

一●故郷《ふるさと》の道

すいせん

沈《じん》丁《ちょう》花《げ》

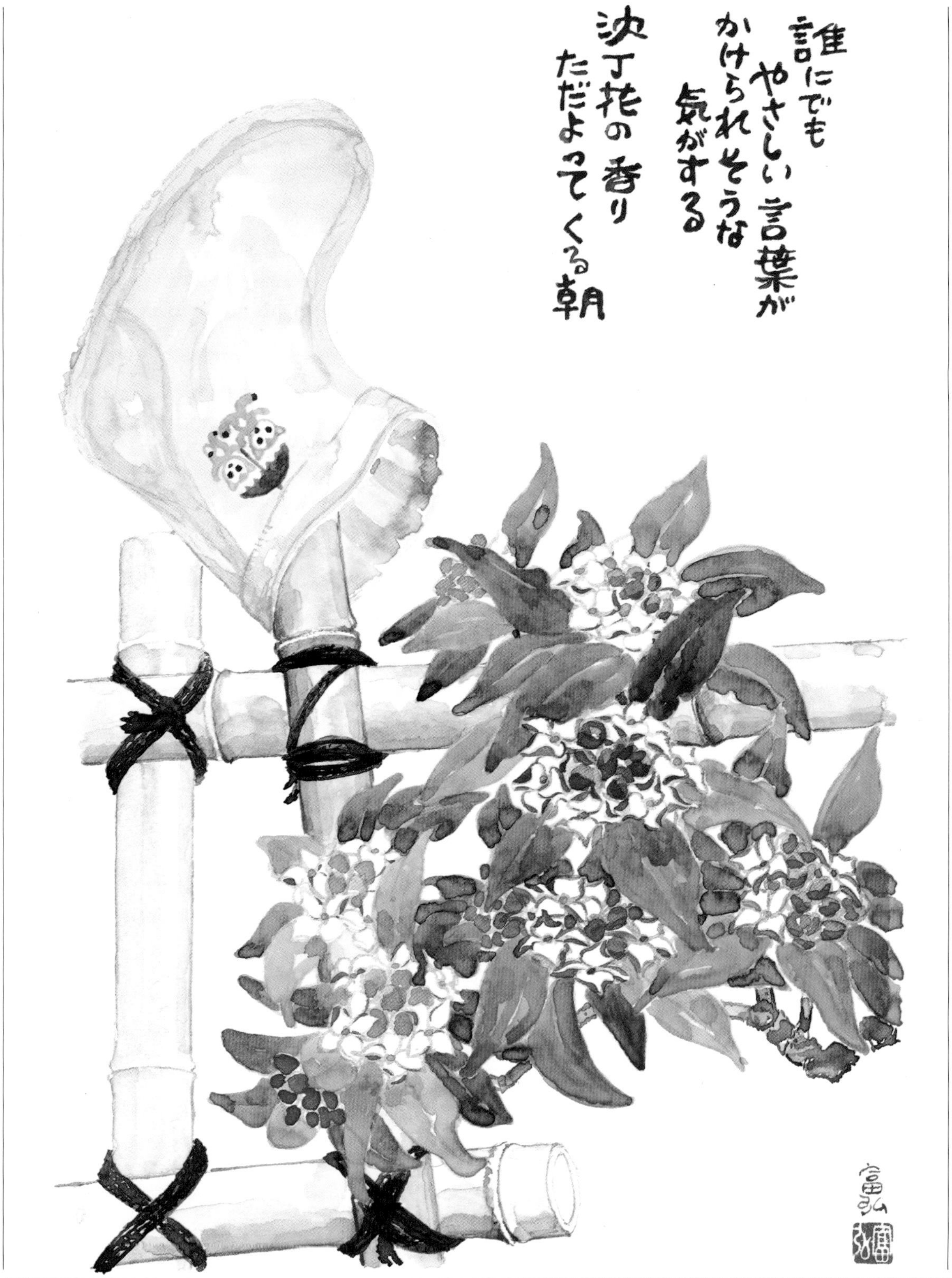
誰にでも
やさしい言葉が
かけられそうな
気がする
沈丁花の香り
ただよってくる朝
富弘

1985

やっと暖かくなった
庭に出て
太陽に
顔を向け
ボロボロと
涙を出して
遊んだ

花の名前を　知らない
そのことが
今朝は　ばかに嬉しい
花だって　たぶん
自分に付け
られている
名前を
知らないで咲いている

1986（きんれんか）

ぼたん

絵を描くのは
旅をするのと
おなじ
私は今
花びらの谷間から
雄しべと雌しべの
丘に続く
春の小道を
旅している
富弘

1986

花がきれいですねえ
誰かがそういって
うしろを過ぎて行った
気がつくと目の前に
花が咲いていた
私は何を見ていたのだろう
この華やかな
春の前で
いったい何を
考えていたのだろう
富弘

1985（さくら）

木《もく》蓮《れん》

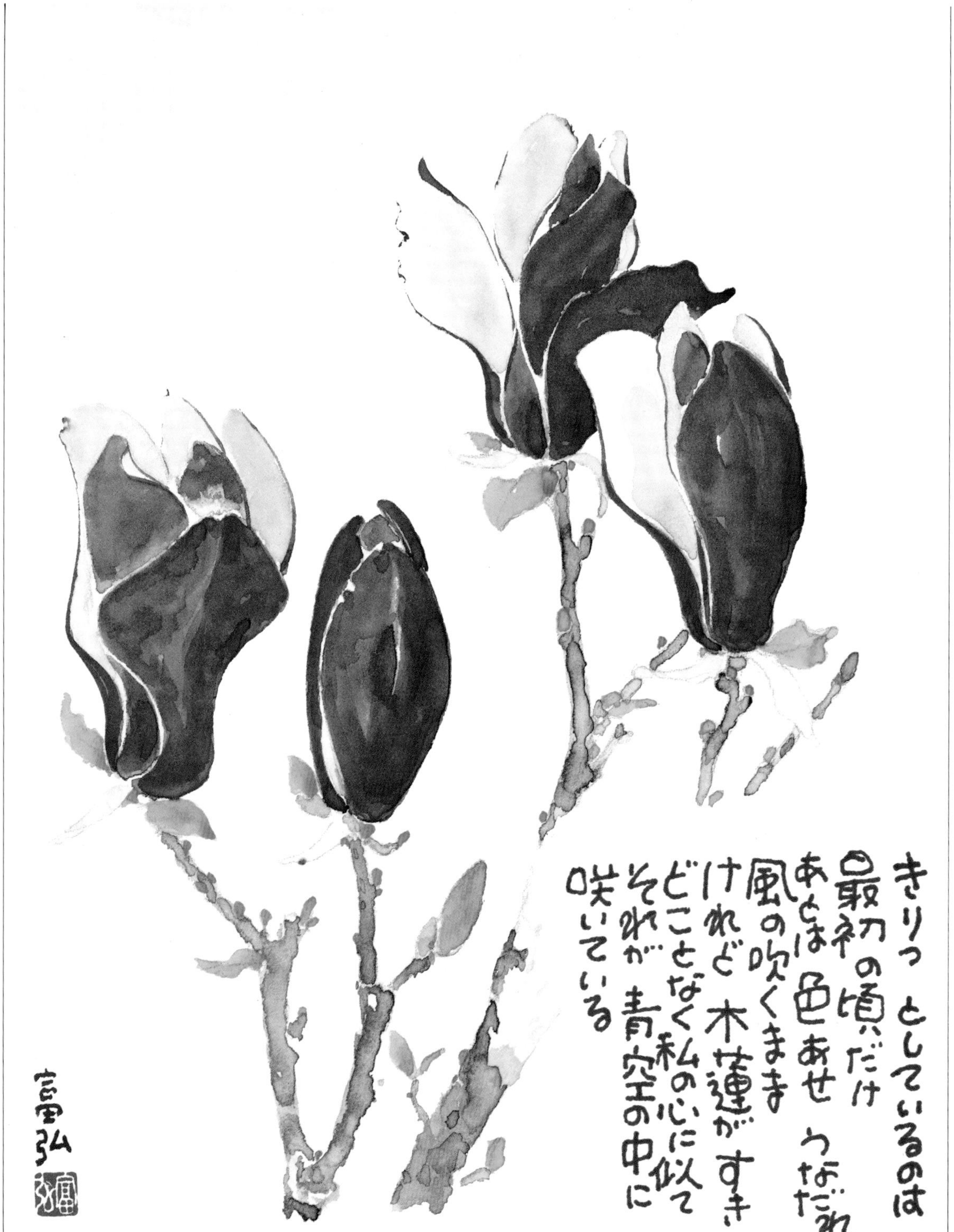
きりっ としているのは
最初の頃だけ
あとは色あせ うなだれ
風の吹くまま
けれど 木蓮がすき
どことなく私の心に似て
それが 青空の中に
咲いている
富弘

1985

一匹の虫
泥の上を這う
取り柄のない虫

虫の目になって
花を見たい
そびえ立つ草の上に
花が空を覆って
いるんだろうなあ

1984

覆って＝おおって

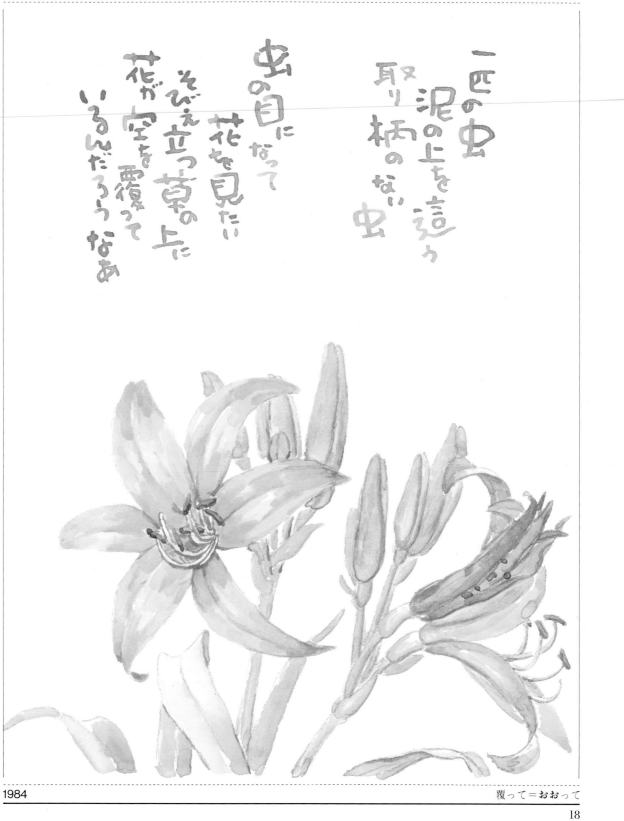

泥だらけになって
じゃがいもを
掘っていた時
ふと見上げた空が
手でさわれそうなほど
近かったことを
憶えている
高い所にあこがれ
山の頂に
立った時
なんにもない空が
果てしなく遠かったことを
憶えている

憶えて＝おぼえて

1985

じしばり

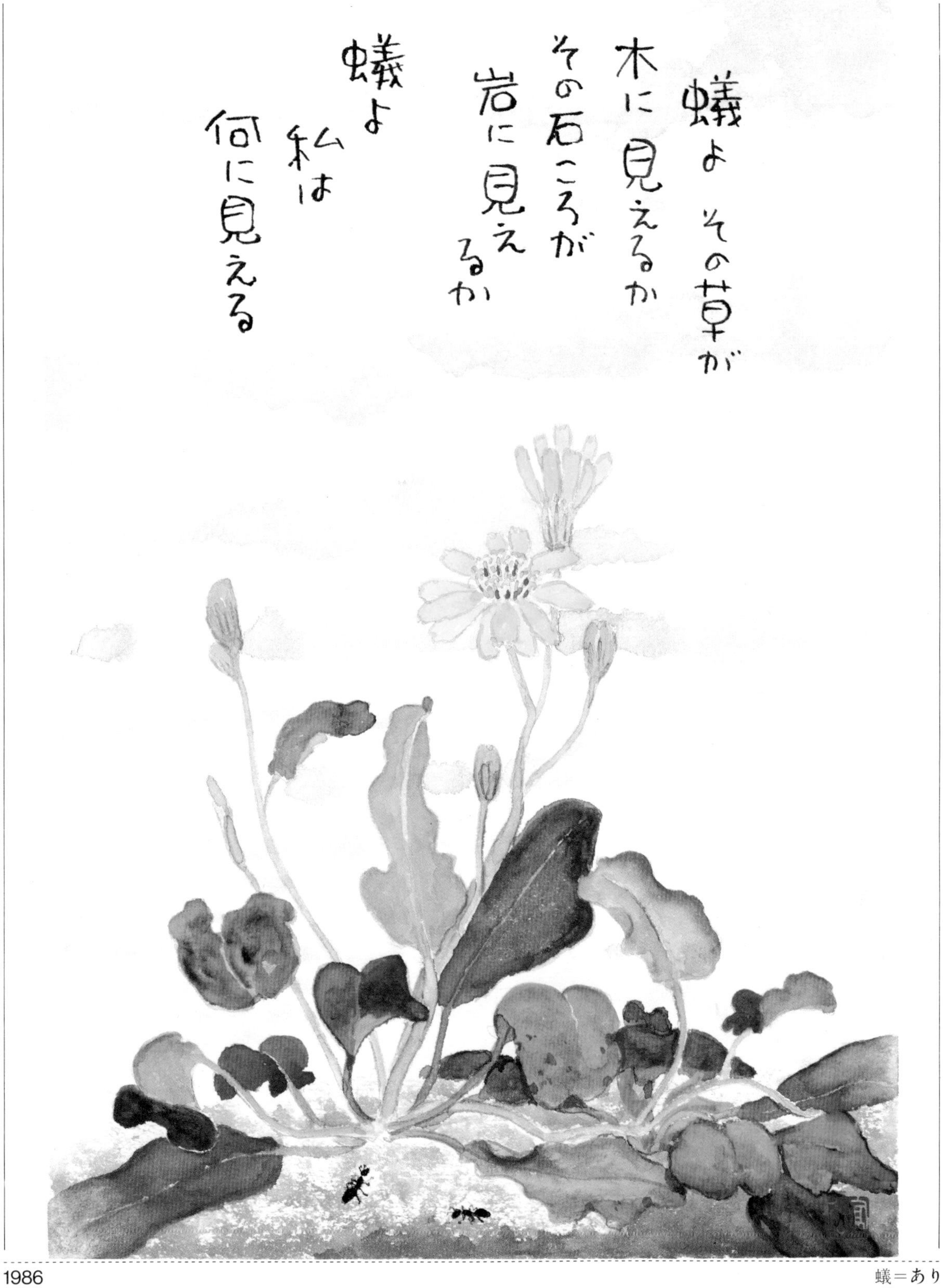
蟻よ その草が
木に見えるか
その石ころが
岩に見え
るか
蟻よ
私は
何に見える

1986

蟻＝あり

線路に 耳をつけて
近づいてくる 汽車の音を
聞いた ことがある

地面に 張りついて
生きている 草よ
おまえには
この大地に 迫ってくる 足音が
聞こえるのではないか

教えてくれ
それは
人間にとって
嬉しい 知らせなのか
それとも
……

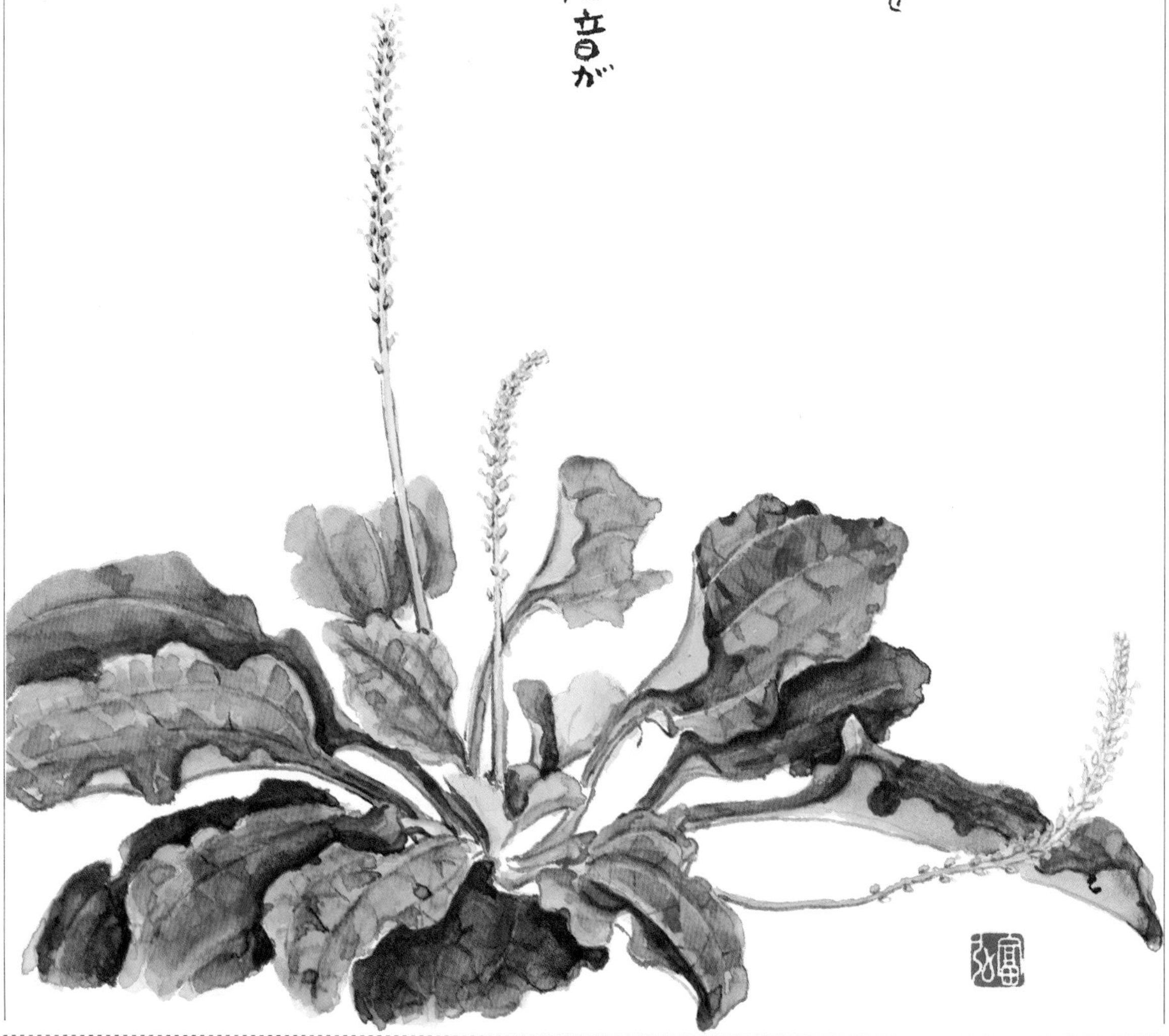

山に行こう　そして
あなたの造られた風景を
見てこよう

花のまわりに
囲いが　あるだろうか
崖の上に　柵があるだろうか

小さな心にさえ
囲いを作っている私

1986

崖＝がけ　柵＝さく

今日も一つ
悲しいことがあった
今日もまた一つ
うれしいことがあった
笑ったり 泣いたり
望んだり あきらめたり
にくんだり 愛したり
・・・・・・・
そして これらの一つ一つを
柔らかく包んでくれた
数え切れないほど沢山の
平凡なことがあった

麦《むぎ》の穂《ほ》

麦の穂
となりも
麦の穂
ぶつからず
離れすぎず
特に高いものもなく
特に低いものもなく
にてるけれど
みんな ちがう
麦の穂
太陽の弓矢

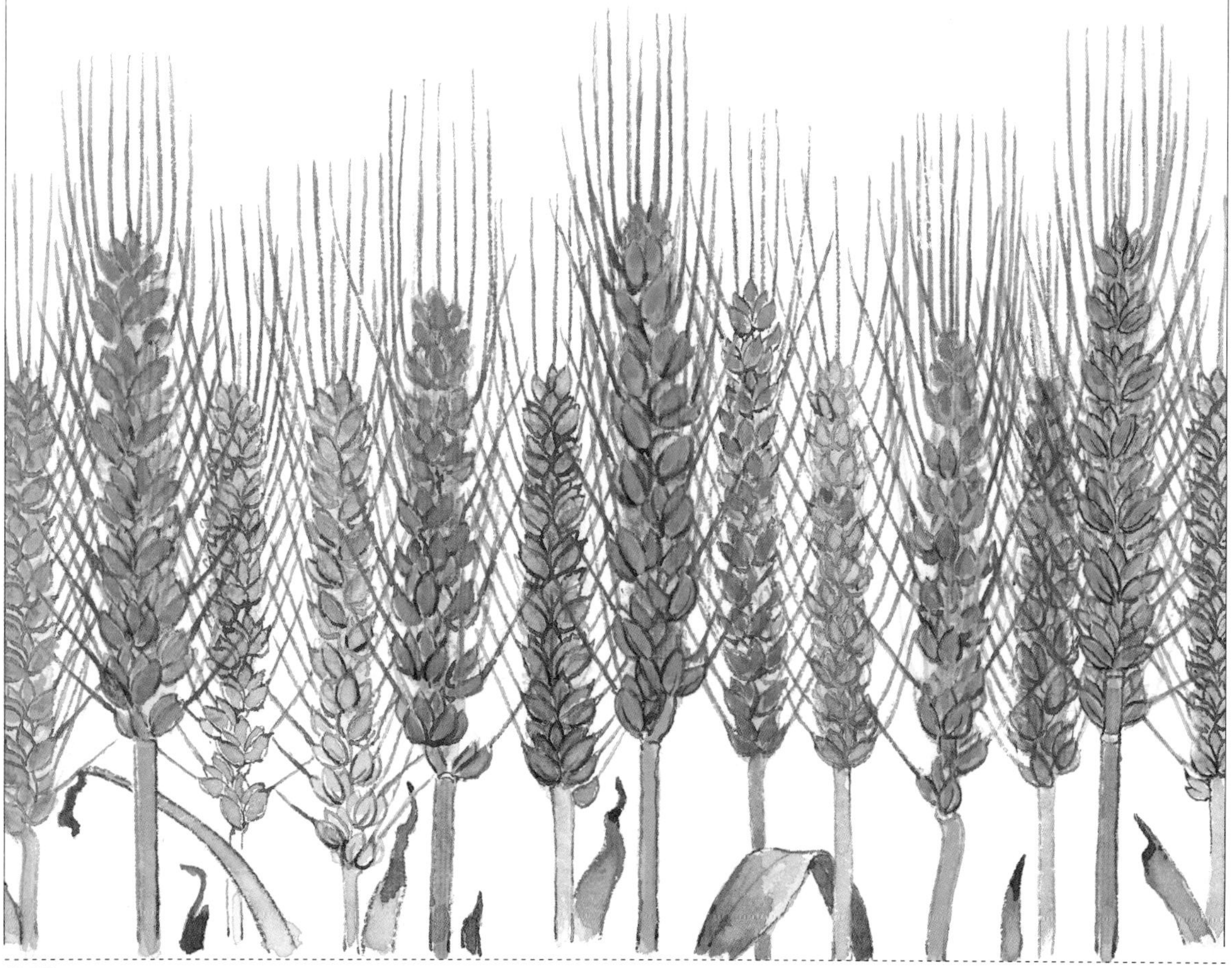

1986

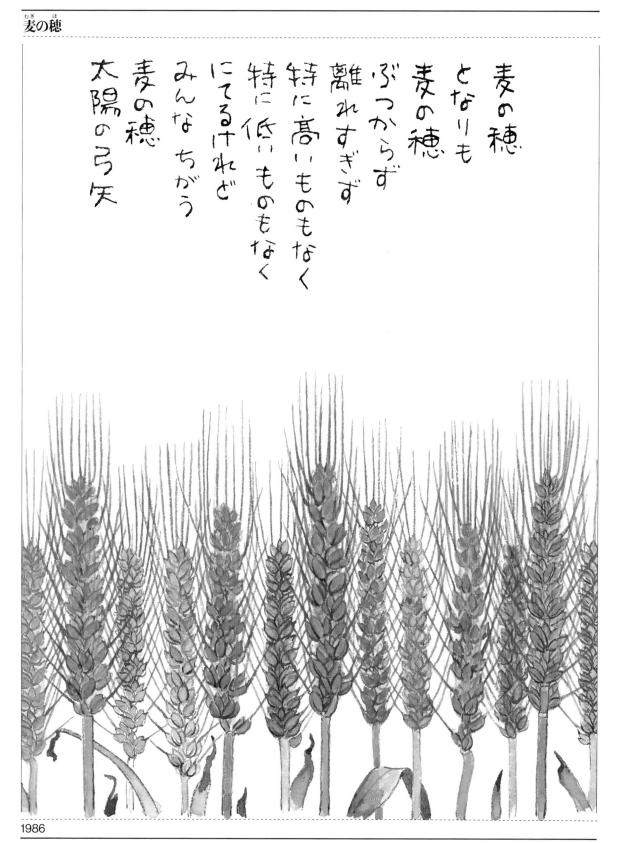

ラジオから
流れている
はずの
甲子園
の
歓声
私には
ひまわりの
中から
聞こえる

歓声＝かんせい

1983

山百合《やまゆり》

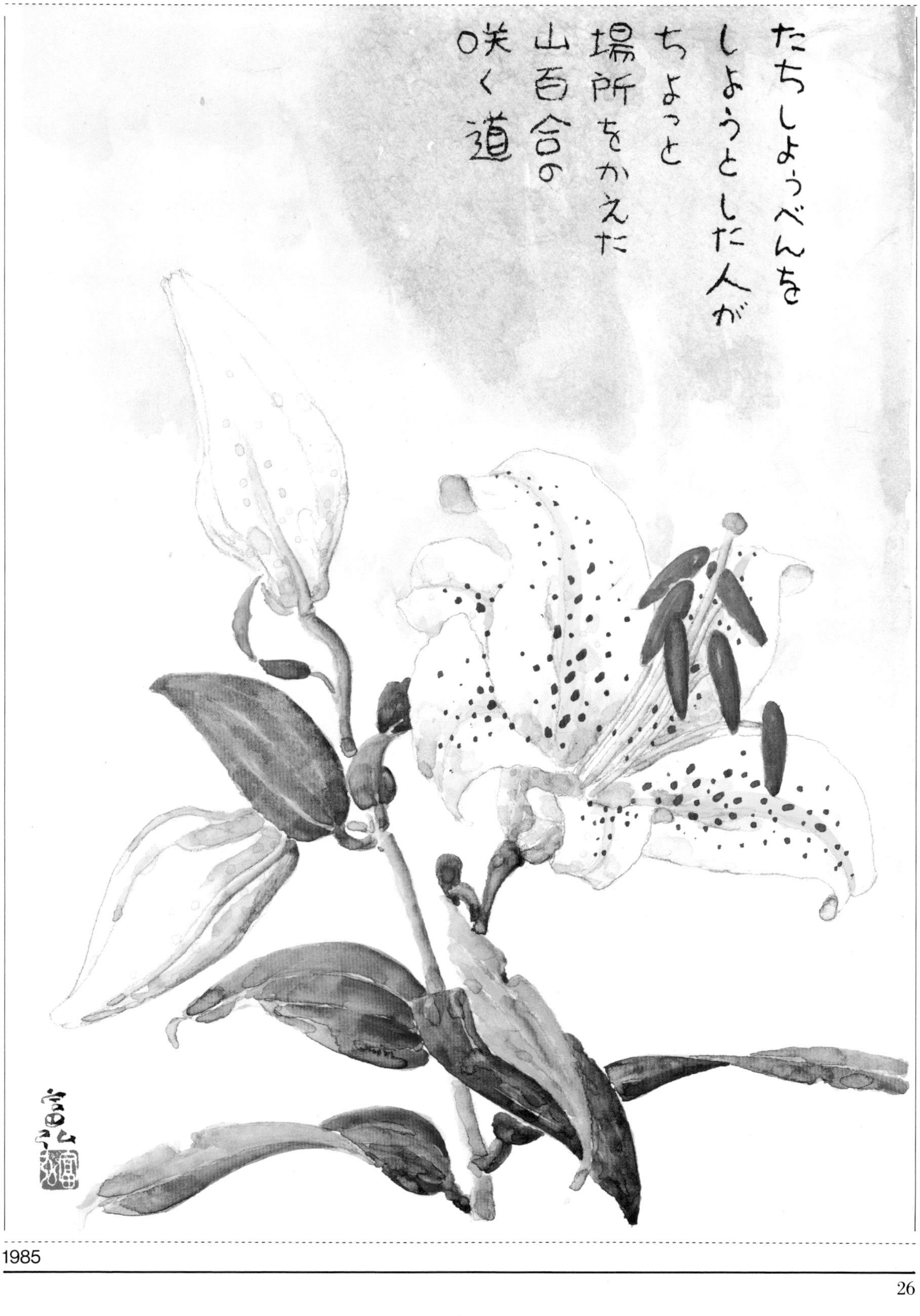
たちしょうべんを
しようとした人が
ちょっと
場所をかえた
山百合の
咲く道

1985

百日草《ひゃくにちそう》

美しく咲く
花の根元にも
みみずがいる
泥を喰って
泥を吐き出し
一生土を耕している
みみずがいる
きっといる

1982

コスモス

風は見えない
だけど木に吹けば
緑の風になり
花に吹けば
花の風になる
今、私を
過ぎていった
風は
どんな風に
なったのだろう
富弘

1985

風にとんでゆく
紙くずさえ
美しく してしまう
秋
そんな秋の中に
野菊が咲いている

1983

畔《あぜ》道《みち》の草

村に やぼったい人が いなくなった
ボロを着て 子供をどなり
芋の葉っぱで 洟をかみ
大声で しゃべってはいたが
愛だとか 美だとか 人生だとか
口に 出したことは なかった

やぼったい人が いなくなった
そして 菜の花や レンゲや
麦畑が 消えた
畔道の草を 刈る人も いなくなった
やぼったい人が いなくなってしまった

富弘

1984

洟＝はな

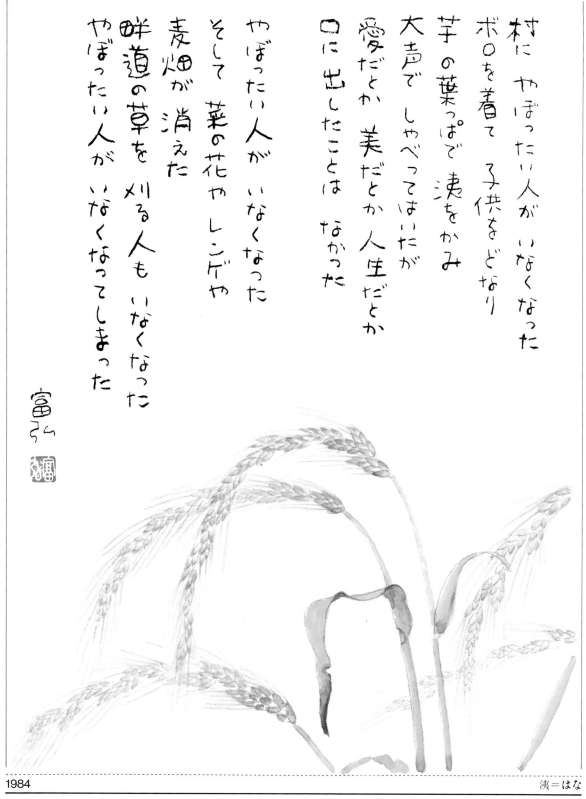

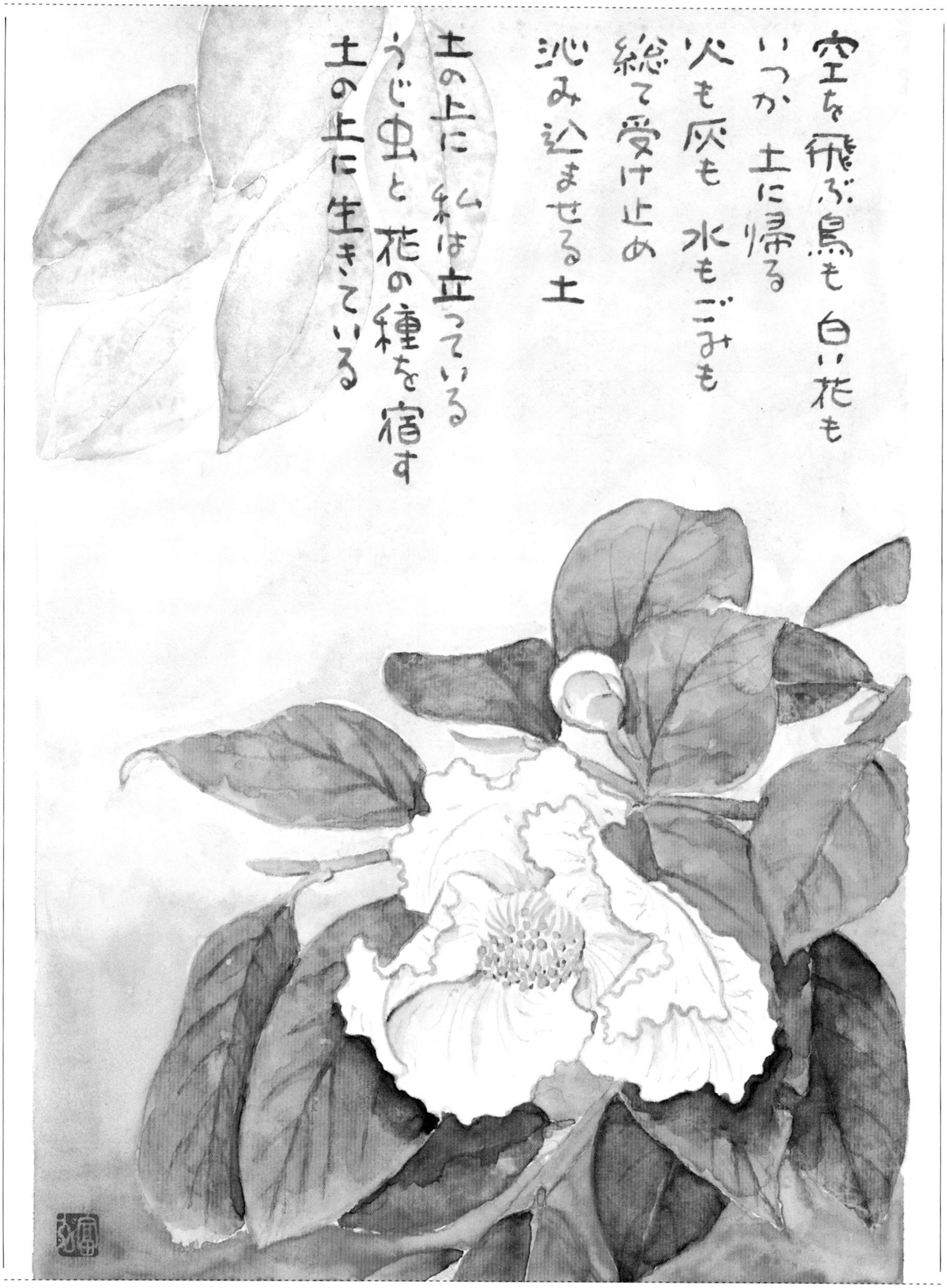
空を飛ぶ鳥も 白い花も
いつか 土に帰る
火も灰も 水もごみも
総て受け止め
沁み込ませる土
土の上に 私は立っている
うじ虫と 花の種を宿す
土の上に 生きている

沁み込ませる＝しみこませる

1986

シクラメン

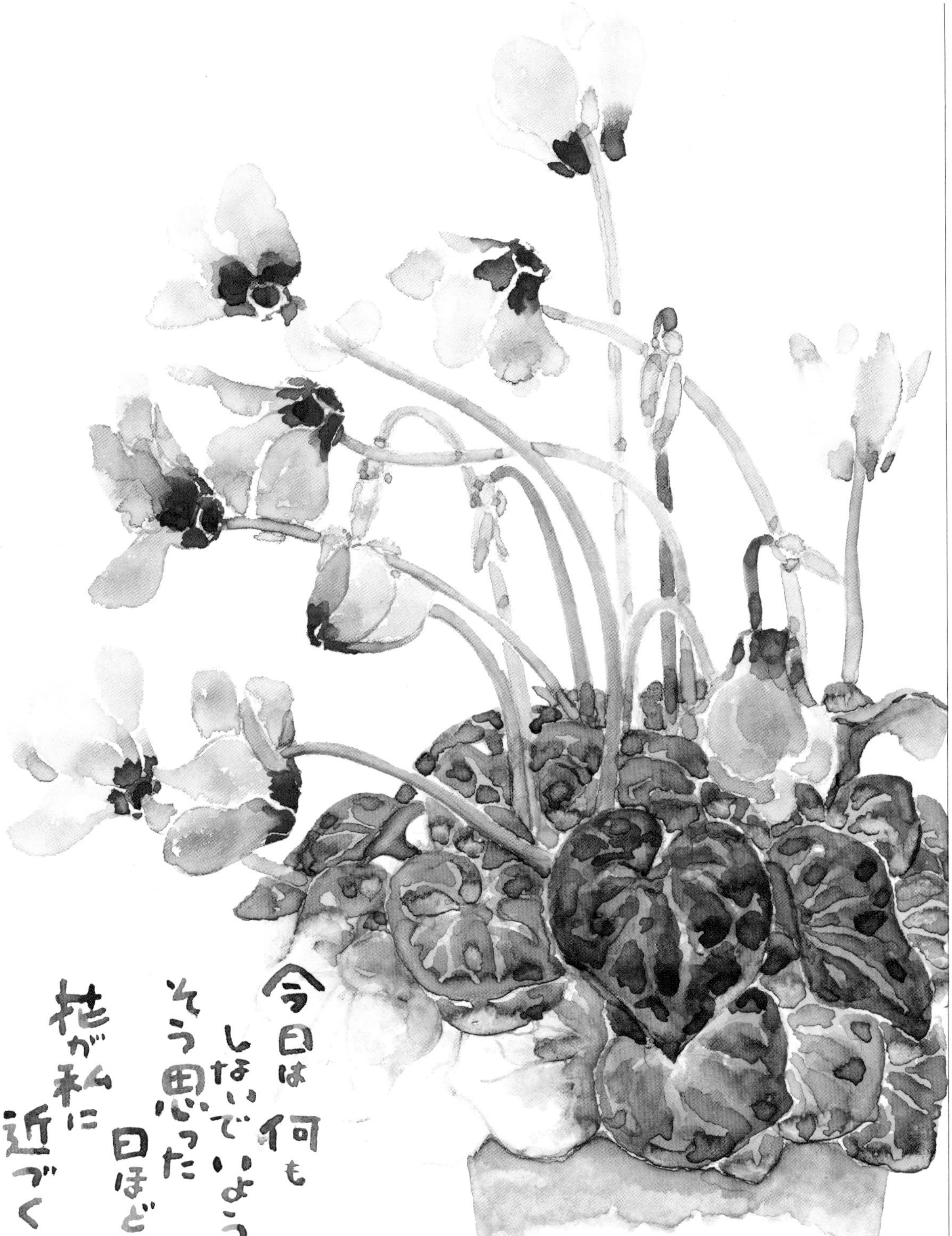
今日は何も
しないでいよう
そう思った日ほど
花が私に
近づく

1984

夕《ゆう》陽《ひ》に赤《あか》い穂《ほ》

入院中《にゅういんちゅう》のことである。

Ｋさんというとても美人の看護婦《かんごふ》さんが、いつもの治療《ちりょう》に来てくれた。膀胱洗浄《ぼうこうせんじょう》といって、尿道《にょうどう》からゴムの管《くだ》を入れ、消毒液《しょうどくえき》で膀胱《ぼうこう》の中を洗うのである。したがって、私の下半身は裸《はだか》である。

私は首を起こすことができないので、Ｋさんの手元《てもと》はよく見えない。感覚《かんかく》もないので、Ｋさんがどこを触《さわ》っているのかもわからない。わからないからよいようなものの、私と同じ年齢《とし》、しかも美しいＫさんの手元が見えていたら、どんなに恥《は》ずかしいことだろう。

枕元《まくらもと》のラジオから、小さく音楽《おんがく》が流れていた。

「この曲、いいですねえ。」

私が言うと、Ｋさんは、ちょっと手を休め、

「『夕陽《ゆうひ》に赤いほ』ね。」

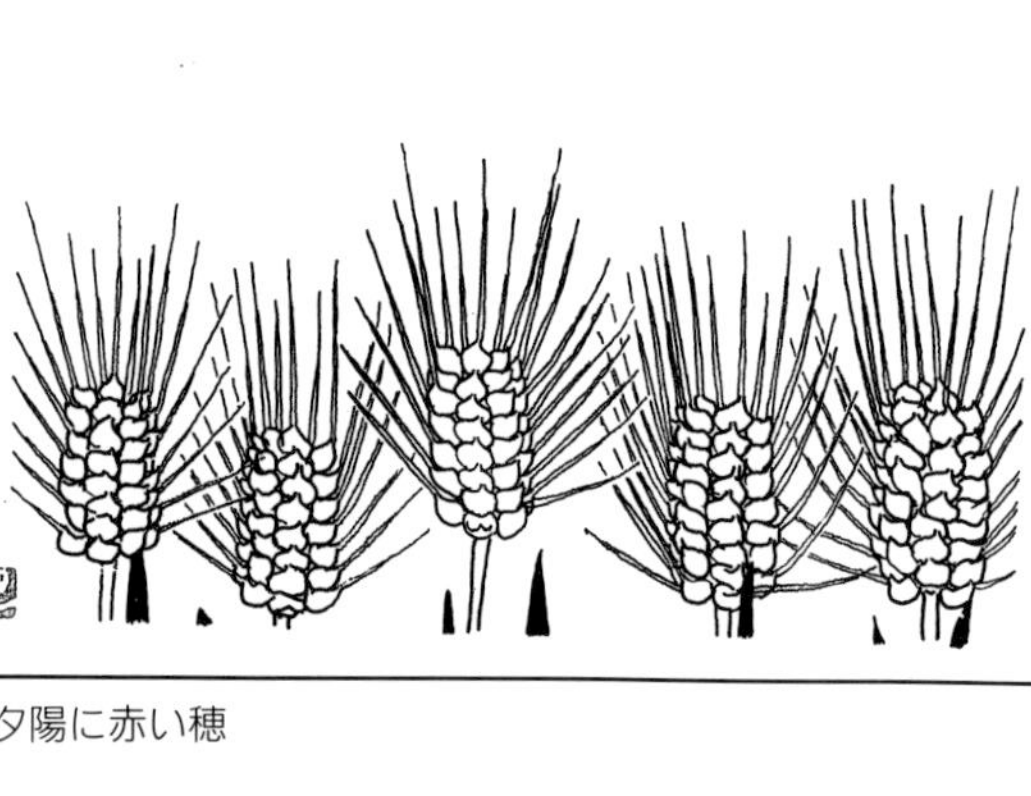

むぎのほ

と言った。

「この曲『夕陽《ゆうひ》に赤い穂《ほ》』というんですか、曲名もいいですねえ。」

Kさんは〝ラララ〜〟と、ラジオにあわせて口ずさみながら、私の体《からだ》の最も男性たる部分の先を消毒綿《しょうどくめん》で拭《ふ》いている気配《けはい》だった。

その日から私は「夕陽《ゆうひ》に赤い穂《ほ》」という曲が好きになった。好きになって気がついたのだが、「夕陽《ゆうひ》に赤い穂《ほ》」は、案外《あんがい》ひんぱんにラジオから流れていた。聞きながら、いつも頭の中に浮かんでくるのは、どこまでも広がる麦畑《むぎばたけ》と、その麦の穂《ほ》を赤く染《そ》めながら地平線《ちへいせん》に燃《も》えおちていく大きな太陽と、美しいKさんの顔だった。

私は麦畑《むぎばたけ》が好きだった。山裾《やますそ》の急な畑に、何百本もの太い緑の縞模様《しまもよう》を描《えが》く冬の麦畑《むぎばたけ》も、生きているもの総《すべ》てが夏に向かって活気《かっき》づいている時期《じき》に、黄色く枯《か》れてゆく麦秋《ばくしゅう》の眺《なが》めも好きだった。そして、夕日も好きだった。

少年の頃、私は麦《むぎ》を刈《か》りながら、何度、夕日を眺《なが》めたことだろう。麦を束《たば》ねながら、

「おれはこのまま、ずうっと百姓《ひゃくしょう》になるんだろうか。」

と思ったこともあった。どうせ百姓《ひゃくしょう》になるんだったら、こんな狭《せま》いところより、いつかアメリカの映画で見た、広大《こうだい》な麦畑《むぎばたけ》を耕《たがや》す百姓《ひゃくしょう》になりたいと思った。

十二時山《じゅうにじやま》

「夕陽《ゆうひ》に赤《あか》い穂《ほ》」は少年の日の麦畑《むぎばたけ》の夢《ゆめ》を、切《せつ》ないほど美しく奏《かな》でてくれた。

「夕陽《ゆうひ》に赤《あか》い穂《ほ》」が、実は、夕陽《ゆうひ》に染《そ》まる海原《うなばら》の情景《じょうけい》をテーマにした「夕陽《ゆうひ》に赤《あか》い帆《ほ》」であると知ったのは、それから二、三年過《す》ぎてからだった。

ほんとうの曲名を知って気がついたのだが、演奏《えんそう》によっては、鳥の鳴《な》き声を挿《そう》入《にゅう》しているものもあった。私は麦畑に群《む》れ飛《と》ぶからすの鳴《な》き声だと思っていたが、どうやらあれは、かもめだったらしい。

私の家の前に見える山は、十二時山《じゅうにじやま》と呼ばれていた。渡良瀬川《わたらせがわ》の白い河原《かわら》から、いきなり立ちあがっている標高《ひょうこう》千メートルほどの山で、家のあたりからちょうど真南《まみなみ》にそびえている。

野良仕事《のらしごと》をしていて、太陽がその山の一番高いところにくれば、

「十二時だ。そろそろ昼《ひる》めしにするべえ。」

というところから名前がついたのだという。

ふくじゅそう

近頃、あまり「十二時山《じゅうにじやま》」と呼ばなくなったのは、誰《だれ》もが腕時計《うでどけい》をするようになったからだろうか。もっとも今は、山村《さんそん》とはいえ、ほとんどの人が会社勤《かいしゃづと》めをしている。

山は東から西に屏風《びょうぶ》のように連《つら》なっていて、十二時山《じゅうにじやま》のてっぺんは、一段と高くなっている。時間の目印《めじるし》に、昔の人が土を盛《も》りあげた……という話も聞いたことがある。しかし、中学生の時、初めて登った十二時山《じゅうにじやま》の頂上《ちょうじょう》は、人間が積《つ》みあげたなどと言えるような小さなものではなかった。

四月三日のひと月遅《おく》れのお節句《せっく》に、十二時山《じゅうにじやま》のてっぺんに猫《ねこ》の額《ひたい》ほど雪が残っていれば、その年は豊作《ほうさく》だという。昨年は、猫《ねこ》の額《ひたい》どころか、熊も埋《う》まってしまうほど雪が残っていた。そのせいか、数十年ぶりとかの暑い夏だった。

十二時山《じゅうにじやま》に薄桃色《うすももいろ》のつつじが咲くと、畑に芋《いも》を植えたのだそうである。今でも「芋植《いもう》えつつじ」という名前が残っている。

カレンダーが春になっても、新聞の間に春の大売り出しの広告が挟《はさ》まってきても、風景《ふうけい》はまだ冬である。谷間の村に住んでいる私達が、ほんとうに暖かさを感じるのは、雪がとけた十二時山《じゅうにじやま》の中腹《ちゅうふく》に、芋植《いもう》えつつじの花が、少女の唇《くちびる》のような色をつける頃である。

空のブツブツ

「この子ったらねえ。」

姉が笑いながら玄関《げんかん》に入ってきた。

町に嫁《とつ》いだ、すぐ上の姉が、お正月に里帰《さとがえ》りしてきた時のことである。三才になる男の子をおぶって、夕食後、久しぶりに帰った我《わ》が家《や》の庭に出て、あれこれと昔を思いだしながら歩いていた。その時、

「お母さん、あのブツブツはなあに？」

と、背中《せなか》の子供が、めずらしい物を発見したらしいのである。

「えっ、ブツブツ？」

姉は驚《おどろ》いて、その子が見ている方を見上げた。しかし、いくら見上げても、その子のいうブツブツが、どこにあるのかわからなかった。子供は「ほらっ」と真《しん》剣《けん》に空の方を指さした。そのブツブツが、冬の夜空にちりばめられていた星と気づくまで、姉にはしばらく時間がかかったそうである。

「ばかだねえ、この子は……」

口からもれそうになった言葉を、姉は小さくのみこみ、子供と同じ心にかえっ

ちいさなきく

て、バケツでダイヤモンドをぶちまけたような、冬の夜のブツブツを、二人でしばらく見上げていたという。

〝空青《そらあお》く水清《みずきよ》くして過疎《かそ》となり〟

どなたの作か忘《わす》れてしまったが、いつか新聞に載《の》っていた川柳《せんりゅう》である。

山に囲まれた私の村は、これといった名物もないが、美しい星が見える村である。過疎化《かそか》は村の深刻《しんこく》な問題《もんだい》ではあるけれど、私はその星が、いつまでもいつまでも美しく見える村であってほしいと願っている。

私の姓《せい》の星野《ほしの》は、村で一番多い名字《みょうじ》である。

椿《つばき》の木

小さい頃、椿《つばき》の木に登るのが好きだった。特に、真っ赤な花が咲く春先は、近くの墓場《はかば》にあった大きな椿の木に、一人でよく登った。

冷たい幹《みき》をよじ登ると、こんもりと繁《しげ》った厚い葉っぱの内側は、暗幕《あんまく》を張《は》った部屋のように薄暗《うすぐら》く、その中を骨のような白い枝が張《は》りめぐっているさまは、恐《きょう》

つばき

竜《りゅう》の体《からだ》の中に入ったような気がして、私の夢《ゆめ》をかきたててくれた。

春先の上州《じょうしゅう》は、いつも強い風が吹いていたが、厚い葉におおわれた椿《つばき》の木の中は、意外と暖かかった。

枝にまたがり、幹《みき》に寄りかかっていると、〝バサッ〟と、何かが飛びこんでくる。目の前の枝に、グレーの胸毛《むなげ》と、それより少し濃《こ》い羽根をつけた、ひよどりが止まっているのである。

ひよどりは、私がいることなど全く気づかないのだろう。胸《むね》をはずませながら、椿の黄色い花芯《かしん》を、細長いくちばしでついばんで食べ始める。わがままな子供が、あちこちの皿に手をつけて散らかすように、花をつまんだり、引っぱったりして遊んでいるようだった。

そのうち、どうかして私と、ひょいっと目が合ったりすることがある。そんな時、ひよどりの丸い目は、さらに丸くなり、彼《かれ》としたら、生まれてこのかた、人間をこれほど近くで見たことなどなかったのだろう、「ギャアッ」と叫《さけ》び声をあげて、すごい勢《いきお》いで葉っぱにぶつかり、飛び去っていく。

鶏《にわとり》の卵くらいの鳥もやってきて、私の指先を小さな爪《つめ》でそっとつかんだこともあった。そんな時、私は人間の形をしていることを悔《く》やんだものである。

手や足が木の枝だったら、このかわいい者たちと、もっともっと長く過《す》ごすこ

とができるのに……。

葉っぱの間から、畑や屋根《やね》や空が見えた。見なれている風景なのだけれど、そこからは、また別の世界に見えるのだった。

墓場《はかば》の横の道を、大人の人が鼻歌《はなうた》を歌いながら歩いていく。人前では絶対《ぜったい》に歌など歌ったことのない、おじさんだった。私は、葉っぱの間から、椿《つばき》の木の目になったような気持だった。

今も、椿の木は立っている。あの頃から少しも太くなっていないようである。相《あい》も変《か》わらず、丸い目をしたやつが花を突《つ》っついているのだろう。こんもりとした木の中から、ひよどりの遊んでいる声が聞こえる。

葉っぱの隙間《すきま》から、汚《よご》れた服《ふく》を着た子供が、じっと、私を見ているような気がする。

二● いつの日も花があった

なしの花

椿《つばき》の木

夕方うちへ帰ると
かあちゃんがいった
椿の木に 登って
あそんだんべ
そして
坊主頭についていた
椿の黄色い花粉を
ふいてくれた
富弘

1986

落《お》ち椿《つばき》

椿の葉っぱが 百円札
むしろの座敷に
たおれた 石塔の ちゃぶだい
姉ちゃんが よそってくれた
泥のごはんで 唇を汚した
玉入れ競争の
赤組の かごの下のように
椿の花が 落ちていた

座敷＝ざしき　石塔＝せきとう　唇＝くちびる　　1985

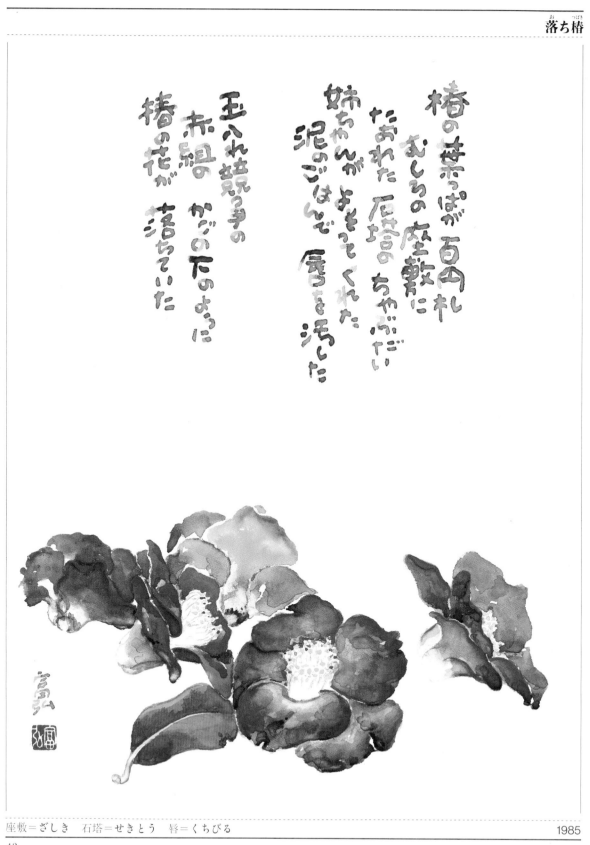

紙《かみ》の桜《さくら》

これといって
趣味のない 母でしたが
紙を切って 桜の花を作るのが
じょうずでした
私が暴れん坊でしたから
母はせっせと
桜を作りました
ガラスのひび割れに張る
紙の桜

1985

趣味＝しゅみ　暴れん坊＝あばれんぼう

ねぎぼうず

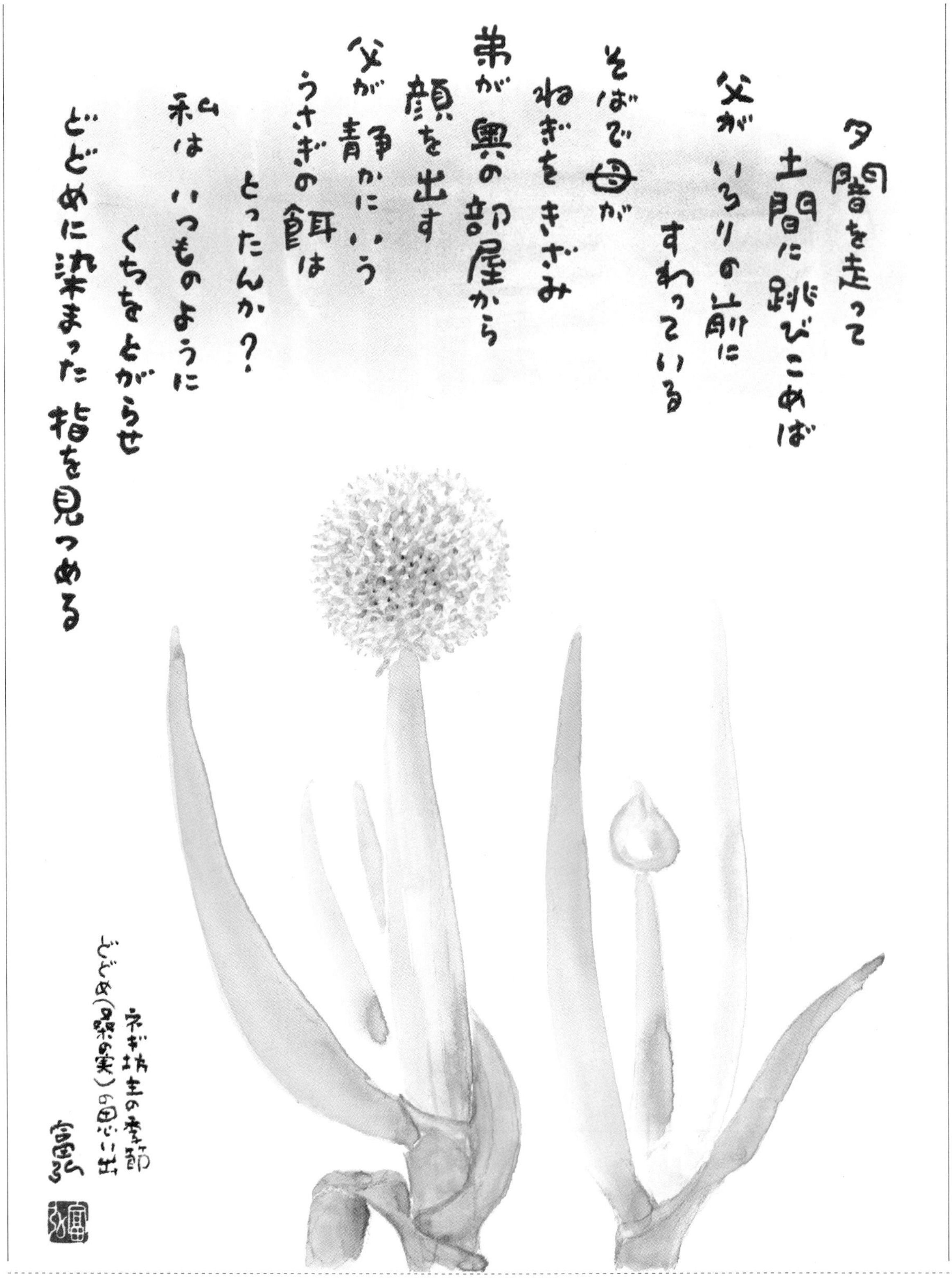
夕闇を走って
土間に跳びこめば
父が いろりの前に
すわっている
そばで 母が
ねぎをきざみ
弟が 奥の部屋から
顔を出す
父が 静かに いう
うさぎの餌は
とったんか？
私は いつものように
くちをとがらせ
どどめに染まった 指を見つめる
ネギ坊主の季節
どどめ（桑の実）の思い出
富弘

夕闇＝ゆうやみ　餌＝えさ

1985

さつき

病院の庭に さつきが咲いた
母が銀行強盗でもするように
おどおどして
ひと枝折ってきてくれた
絵に描いて
となりの
ベッドの人に
見せると
「きれいな
ゆりだなあ」
といった

1985

銀行強盗＝ぎんこうごうとう

母の押す寝台車で
病院の裏庭へ行くと
コンクリートの固まりに
よりかかるように
母子草が咲いていた
私も花のように
空を見ていたら
まぶしくて涙が出てきてしまった
母に泣いているんだと思われそうで
はずかしかった

寝台車＝しんだいしゃ

1984

誰がほめようと
誰が
けなそうと
どうでも
よいので
す

畑から
帰って来た母が
でき上った私の
絵を見て
「へーえっ」と ひと声
驚いて くれたら
それで もう
十分なのです

1984（よめな）

お母さん と呼べない
まして おふくろ
なんて呼べば
紙袋みたいに
しわだらけになって
飛んで行って
しまいそう

かあちゃん
かあちゃん と呼ぶたびに
母は ますます
かあちゃんになってゆく

かあちゃん
これからも何度 呼ぶことでしょう

1985（カトレア）

ねこやなぎ

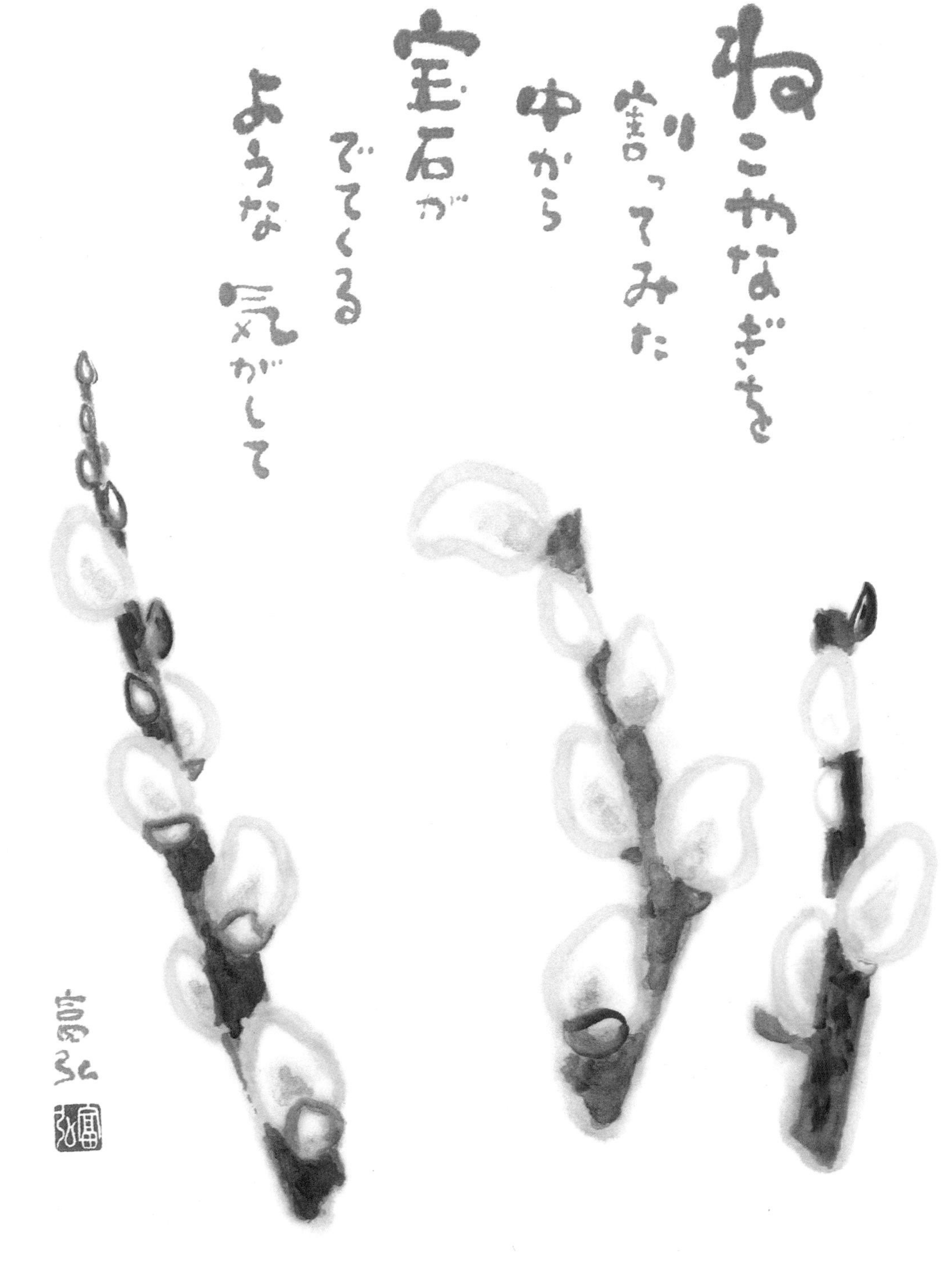
ねこやなぎを
割ってみた
中から
宝石が
でてくる
ような 気がして
富弘

1982

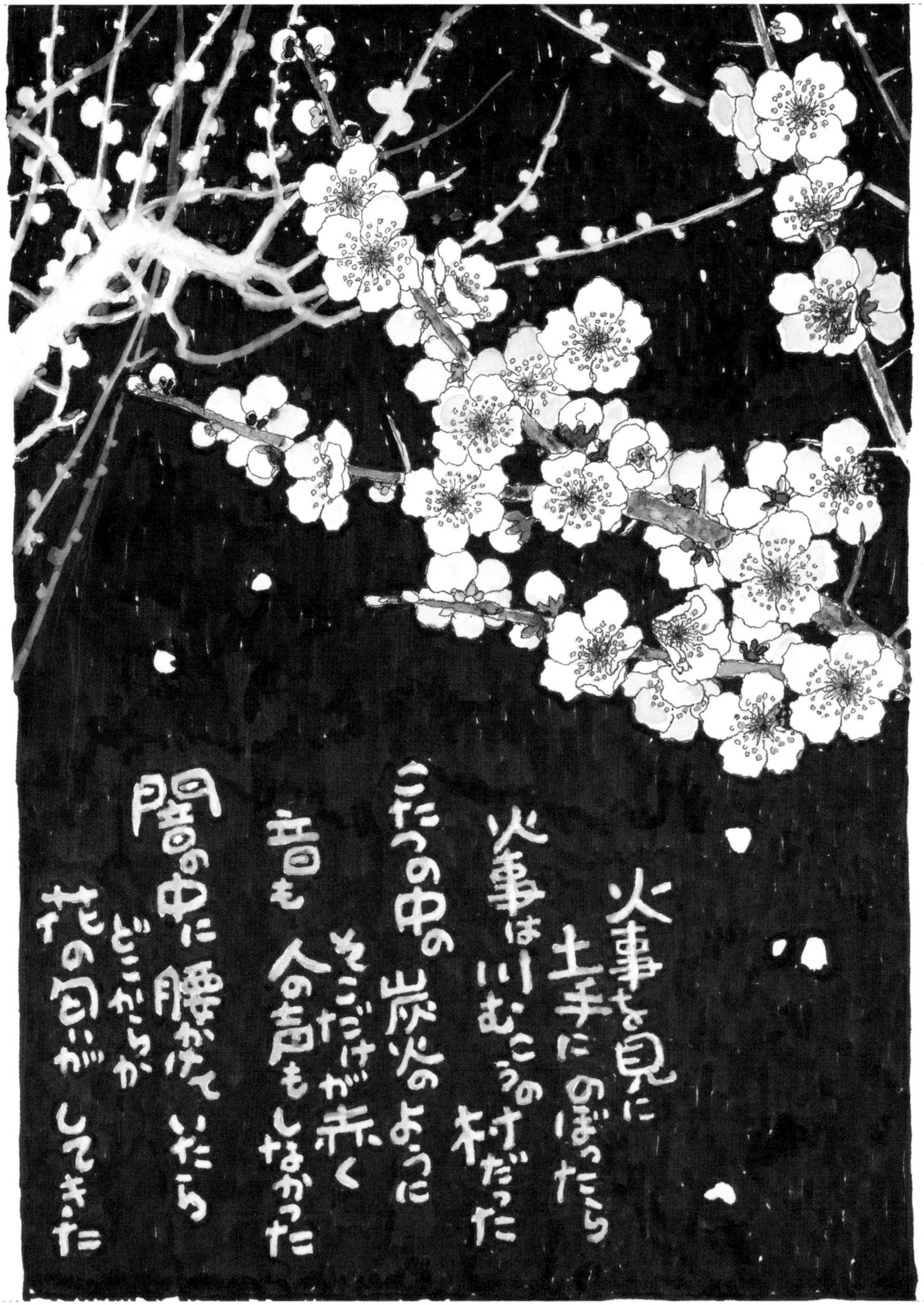
火事を見に
土手にのぼったら
火事は川むこうの村だった
こたつの中の炭火のように
そこだけが赤く
音も人の声もしなかった
闇の中に腰かけていたら
どこからか
花の匂いがしてきた

闇＝やみ　腰＝こし　匂い＝におい　1985

鏡に映る 顔を見ながら
思った
もう
悪口を いうのは
やめよう
私の口から 出た
ことばを
いちばん近くで 聞くのは
私の耳なのだから
富弘

1986

鏡＝かがみ

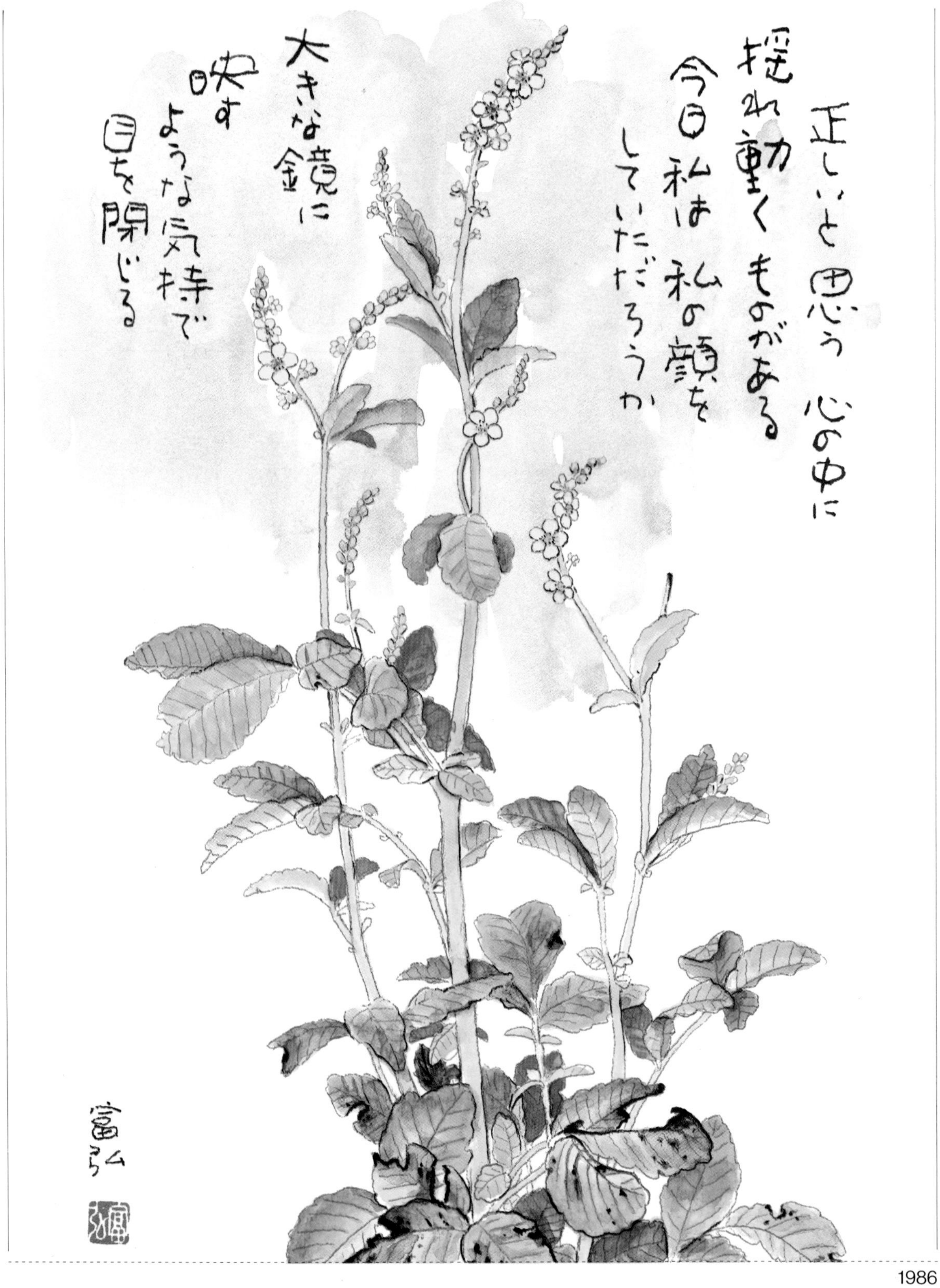
正しいと思う 心の中に
揺れ動くものがある
今日私は 私の顔を
していただろうか
大きな鏡に
映す
ような気持で
目を閉じる
富弘

1986

雨

じゃがいも畑の横の道を
その子は後をつけてきた
麦畑をすぎ
墓場の角をまがっても
桃色のスカートを揺らせ
心配そうに ついてきた

「ありがとう」
家のそばで 私がいうと
その子は 黙って
帰って行った
くるま椅子で
雨に降られた日のこと

1985

黙って＝だまって　椅子＝いす

老《ろう》木《ぼく》

木のように
歳をとれたらいいな
幹は白く
なめらかに乾き
洞では ももんがが
いねむりをしている
鳥を憩わせる枝は
大きく 横にまがり
たまには ここに腰掛け
休みなさいと
人間にも いっているようだ
欲を重ねて老いるのではなく
木のように
歳をとれたらいいな

富弘

歳＝とし　洞＝ほら　憩わせる＝いこわせる

1985

キダチベゴニア

見ているだけで
何も描けず
一日が終った
こんな日と
大きな事を やりとげた日と
同じ価値を 見出せる
心になりたい

1985

にしゃがんで、一心に蟻《あり》をつかまえようとしている坊主頭《ぼうずあたま》の少年に、手をのばせば届《とど》きそうな気がした。

ここから細い道を登っていくと、馬道《うまみち》という名前が残っている山の道につながっている。おそらくその蟻《あり》は、私が小さかった頃より、もっともっと昔、馬が荷物《にもつ》を運んでいた頃も、やはり同じ所を、馬の足をよけながら歩いていたのにちがいない。それどころか、人がまだ狩《かり》で生活していた大昔にも、やはりここを同じように歩いていたのではなかったろうか。

私はさらに確《たし》かめたくなって、こわがる彼女に頼《たの》みこんで、私が小さい頃したように、蟻《あり》の尻《しり》をなめてもらった。やはりすっぱい味《あじ》がして、舌《した》がしびれてしまったそうである。

風が吹いてきて杉の葉をゆすり、その上から白い花びらが吹雪《ふぶき》のように散った。

時の流れなんて、人間だけが勝手に感じているのではないだろうか……。そんなことを思いながら、私は自分の体《からだ》が蟻《あり》のように小さくなるのを感じた。

サンタクロース

毎年クリスマスになると、私のところにもサンタクロースが来る。

贈《おく》り物《もの》は、干《ほ》し柿《がき》と落花生《らっかせい》と焼いたにぎりめし。

私がまだ何でも信じられる心を持っていた頃のことである。三つ年上の姉がどこで聞いてきたのか、

「クリスマスの夜に靴下《くつした》を枕元《まくらもと》に置いて寝《ね》れば、サンタクロースという人が来て贈《おく》り物《もの》を入れてくれるんだって。」

と、おしえてくれた。

寝《ね》ている間に、ただで物がもらえるといううまい話に、私と姉はクリスマスが来るのを胸《むね》をおどらせて待っていた。

ところが一つ問題《もんだい》があった。私達は足袋《たび》をはいていて、靴下《くつした》を持っていなかったのである。

父にそのことを話すと、

「そんなことはわけがねえ……なあに、靴下《くつした》じゃあねえったって、入れ物ならなんだっていいんだ。」

と言って、私と姉に一つずつ小さな竹かごを編《あ》んでくれた。

それを枕元《まくらもと》に置いて眠ったクリスマスの朝、なんとその竹かごに、ちゃんと贈《おく》

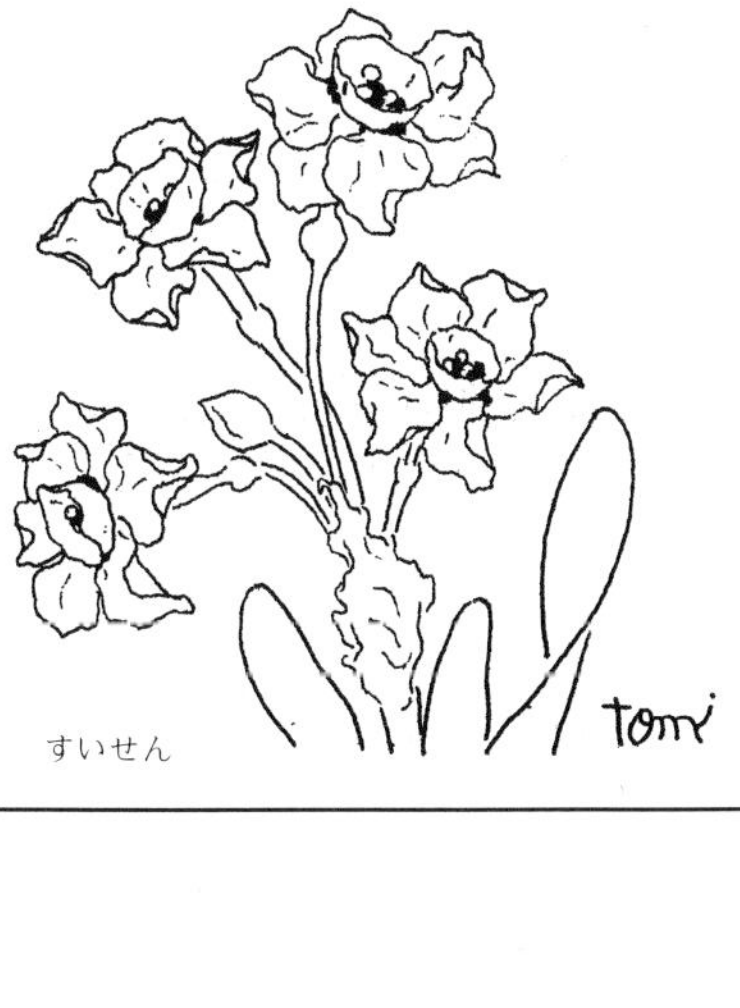

すいせん

り物《もの》が入っていたのである。

――干《ほ》し柿《がき》と落花生《らっかせい》と焼いたにぎりめし――

干《ほ》し柿《がき》は縁側《えんがわ》の前に、のれんのようにつるしてあったから、決して珍《めずら》しくはなかった。しかし私の家にとって、冬の大きな現金収入《げんきんしゅうにゅう》になる大切な物だったから、透《す》きとおるように甘《あま》そうなそれを、毎日目の前にしていても、食べることは許されなかった。私たちもそれが、冬の生活を支《ささ》えてくれる物であることを、子供ながらに知っていたので、親の目を盗《ぬす》んで食べるようなことはしなかった。

落花生《らっかせい》も焼いたにぎりめしも、もちろん大好物《だいこうぶつ》。かごをかかえて、喜びいさんで、いろりばたに走ってゆくと、父も母も、

「ええっ？　ほんとうかい。たまげたなあ。」

とびっくりして、かごを覗《のぞ》いた。

さて、いろりにすわって落花生《らっかせい》を食べようとして、ふと、灰《はい》の上を見ると、驚《おどろ》いたことに、すでにそこには落花生の殻《から》が散らばっているのである。夜のうち誰《だれ》かがここで食べたのにちがいない。

首をかしげている私を見て、父が言った。

「サンタクロースがここで一休《ひとやす》みして、落花生を食っていったんかなあ……あちこち廻《まわ》るんで、疲《つか》れるんだよ。」

後《うし》ろ向《む》き

私は、白いひげをもそもそ動かしながら、落花生の殻《から》をわっては食べているサンタクロースという人が、夕《ゆう》べ、私がすわっているこの場所にいたのかと思うと、さらに胸《むね》が高なってくるのだった。

そんなわけで、毎年クリスマスになると、大人になった私の心に、落花生《らっかせい》を食べたサンタクロースの思い出がやってくるのである。暖かな贈《おく》り物《もの》を持って……。

私は車椅子《くるまいす》に乗っている間、かなりの時間を後ろ向きで進む。

家のまわりは坂が多い。坂をくだる時、前向きだと腕《うで》で上半身を支《ささ》えられないこともあり、前に倒《たお》れそうでこわい。その点、後ろ向きならば、背もたれにどっかりと背中をあずけ、大会社の社長の椅子《いす》に腰掛《こしか》けているような気分で坂がくだれる。

道路のいたる所にある小さな段も、やはり後ろ向きで、最初に後輪《こうりん》をガッタンと落としてから……という具合《ぐあい》だ。

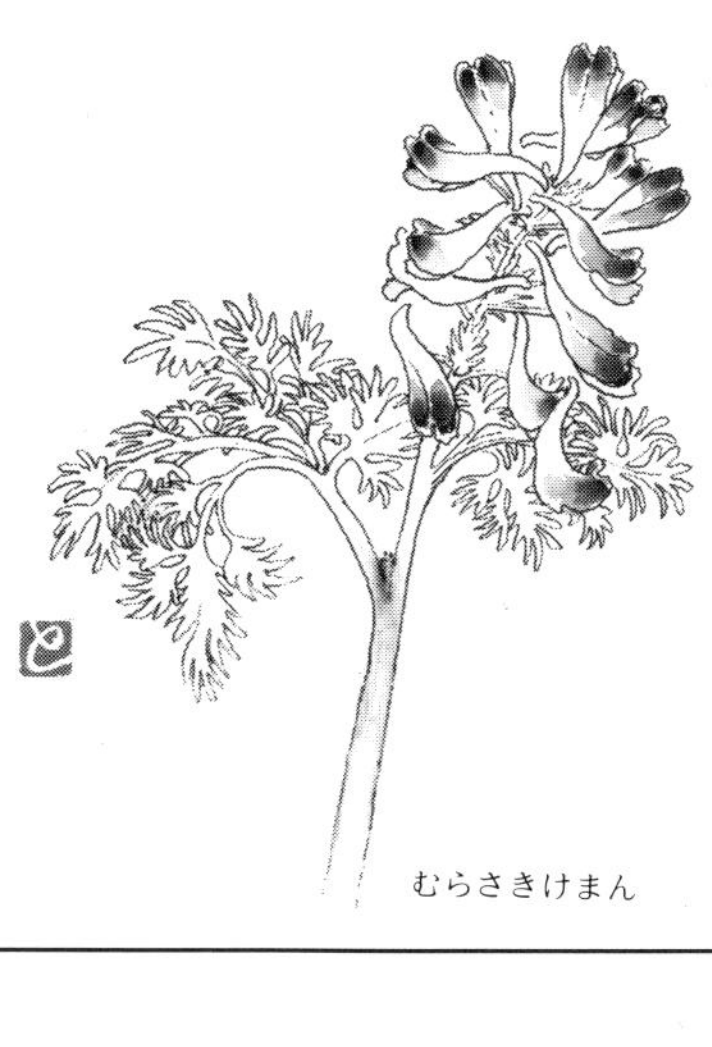

むらさきけまん

後ろ向きの威力《いりょく》が、最大に発揮《はっき》されるのは、誰《だれ》かと一緒《いっしょ》に歩く時である。私はいつも、彼らの五、六歩前を後ろ向きに進む。ちょうど、向かい合った電車の座《ざ》席《せき》にすわっているように、正面に顔を見ながら話ができ、非常に便利《べんり》だ。遠くから久しぶりに訪《たず》ねてきた友人と、畔道《あぜみち》を歩きながら、別れを惜《お》しんで語りあう時など、後ろ向き車椅子は最高の乗り物となる。

上州名物《じょうしゅうめいぶつ》のからっ風に向かって進む時も、後ろ向き。前に美しい女性がいても後ろ向き……車椅子のバックミラーに映《うつ》して、鑑賞《かんしょう》することにしている。

思えば、私は小さい頃から、後ろ向きが好きだった。汽車に乗れば、自然と行く先に背を向けてすわり、向かって来るものよりも、去ってゆくものを見送る方が好きだった。朝日より夕日の方が好きだった。

「振《ふ》り返《かえ》ってはいけない。」とか「前向きに生きろ。」などとよく耳にするが、振り返ることなく生きられる人がいるのだろうか。また、前ばかり向いて歩くことが、そんなに立派《りっぱ》なことなのだろうか。もちろん、振り返ってばかりでは前に進めないから、程度《ていど》にもよるが、それを罪悪《ざいあく》のように考えるのは、毎日の生活を窮屈《きゅうくつ》なものにしてしまうような気がする。

体の構造《こうぞう》も、総《すべ》てではないが、後ろ向き用につくられている面があるように思われる。

私は長い間、器械体操《きかいたいそう》をやっていた。器械体操では後ろに進みながらおこなう技《わざ》がけっこう多い。前方転回《ぜんほうてんかい》より、後ろに進んでいく後方転回《こうほうてんかい》の方が、美しくて速い。二回宙返《ちゅうがえ》りも、ひねり技《わざ》が入ったものも……大きな技は、後方に回転するものばかりである。

走高跳《はしりたかと》びも、背面跳《はいめんと》びの方が記録が良いし、運動会の綱《つな》引《ひ》きだって、後ろに引っぱっている。

私達が「ここだっ！」というような踏《ふ》ん張《ば》りをきかす時、思いのほか後ろ向きが登場するように思われる。

「前向きに進め」というのは、人間が溜《た》めていた力を出せる「後ろ向き」という切《き》り札《ふだ》を、めったなところで使ってはいけないということなのかもしれない。

私は今日も、後ろ向きで坂をくだり、後ろ向きで風の中を走り、夕日を見ながら帰ってきた。

三 ● ひと粒《つぶ》の種《たね》のように

にりんそう

にせアカシア

何のために
生きているのだろう
何を喜びとしたら
よいのだろう
これからどうなるのだろう
その時 私の横に
あなたが一枝の花を
置いてくれた
力をぬいて
重みのままに咲いている
美しい花だった

1981

花と棘が
同じ所から
生えている
やがて
花は
散り
棘だけが
残る
何だか 私の 心のようで
胸の奥が チクリと痛い

棘＝とげ

1984

秋の道を
蟻が 歩いている
立ち止っては
空を仰ぎ
立ち止っては
うなずき
蟻よ おまえは
何を信じているのか

1986（かきの実《み》）

蟻＝あり　仰ぎ＝あおぎ

毎日見ていた
空が変った
涙を流し友が祈ってくれた
あの頃
恐る恐る開いた
マタイの福音書
あの時から
空が変った
空が私を
見つめるようになった

福音書＝ふくいんしょ

1986（かりんの実）

何だって そんなに
あわててるんだ
早く大きくなって
何が待っていると
いうんだ
子豚よ
そんなに急いで
食うなよ
そんなに楽し そうに
食うなよ

1986

いわしを食べようと くちをあければ
いわしも くちを あけていた
いわしを 私のくちに運ぶのは 母
見れば その母の くちも
アーンと大きく 開いていた

いわしは 水から干されたため
私は それを食べるため
母は 子を思う心から

たえまなく 咀嚼を続ける
〝時〟という くちのまっただ中で
二人と二匹のいわしが精一杯 くちを開いている
ささやかな 昼めし時

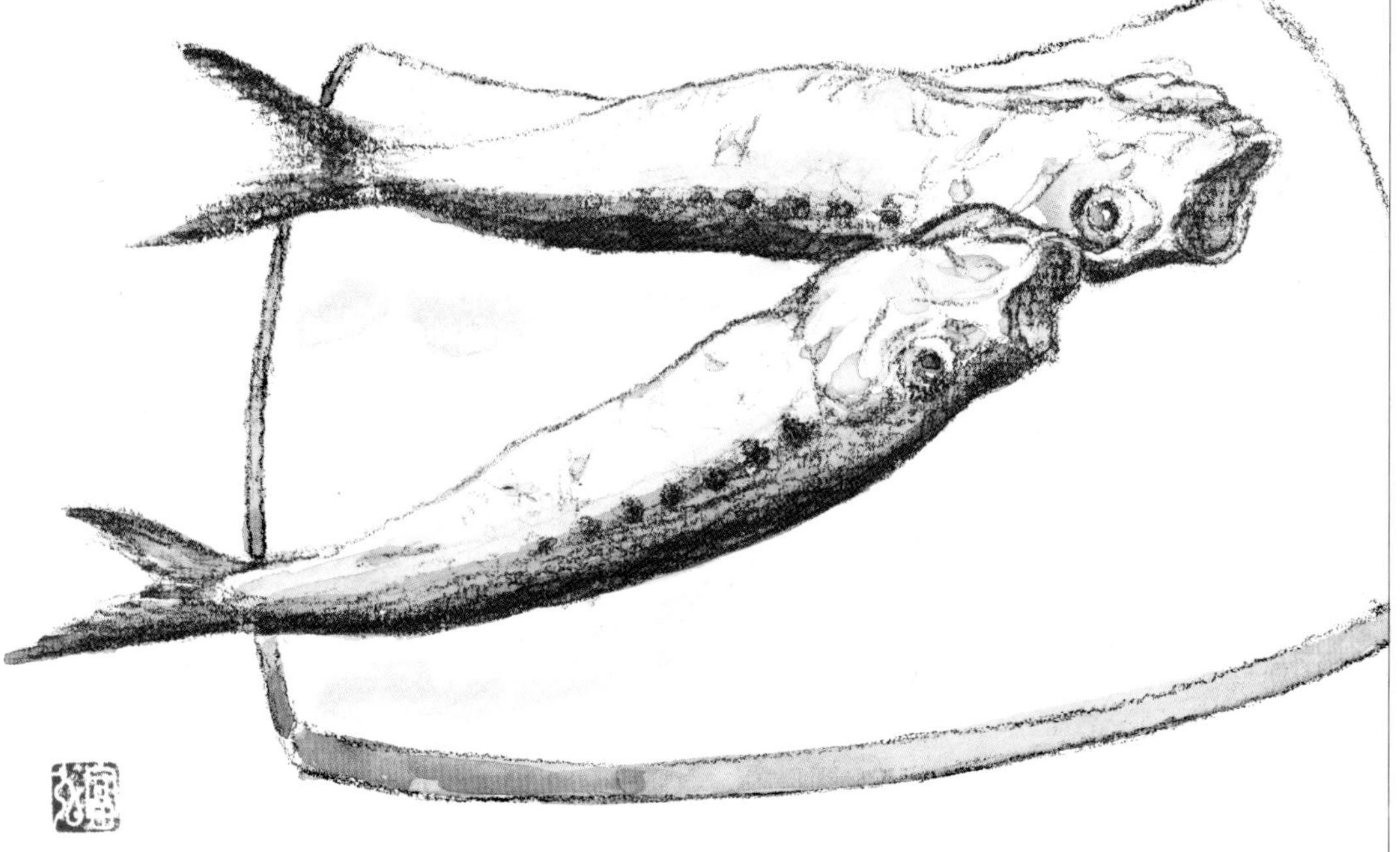

咀嚼＝そしゃく

1985

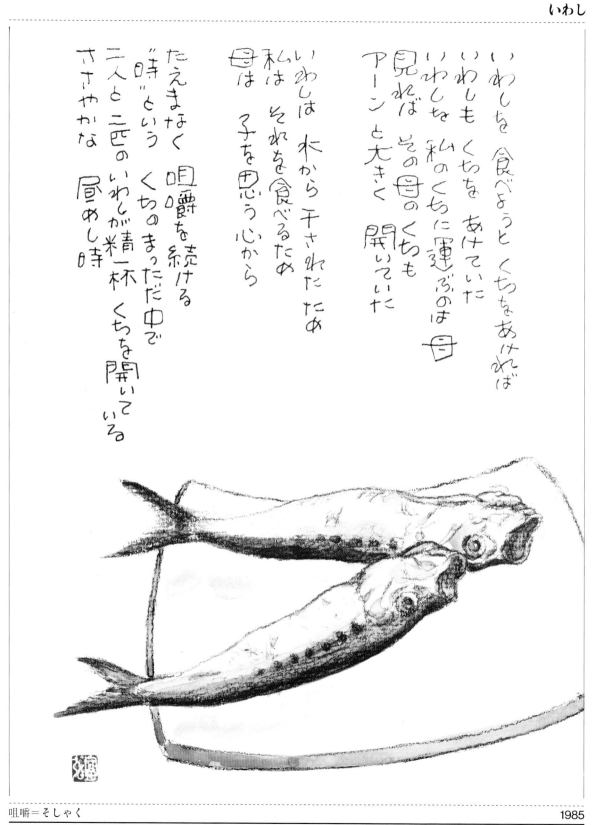

悲しくなって しまいます
あなたが 十字架につけられた時
信じていると いっていた男達が
逃げてしまいました

私は あの人達より
もっと弱い気がします
そういうふうに なったら
私も逃げて しまうのでしょうか
そのことを思うと
悲しくなって しまいます

どうか 私を
特に強く 摑んでいて下さい

富弘

1986（あけびの花）

摑んで＝つかんで

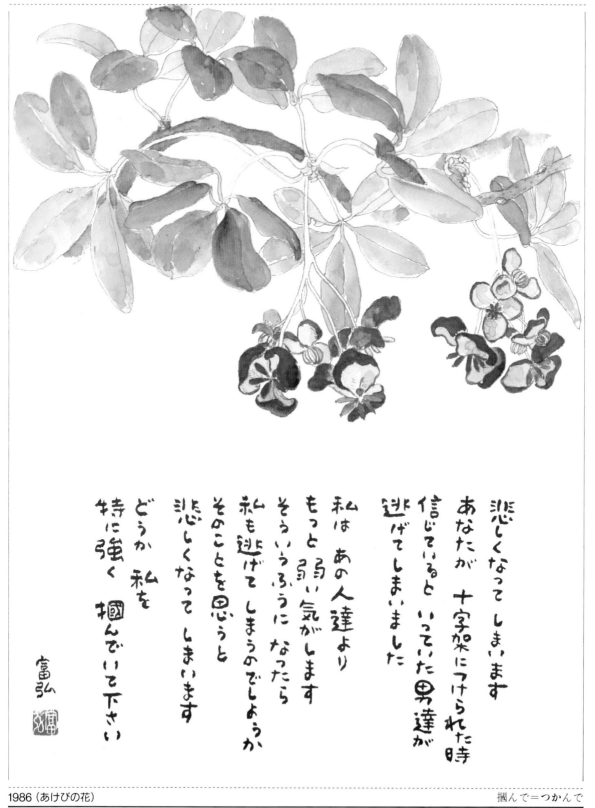

あけびを見ろよ
木の枝にぶら下がり
体を二つに割って
鳥がつつきにくるのを
動きもしないで
待っている
誰におしえられたのか
あんなにも気持よく
自分を投げ出せる
あけびを見ろよ

1981（あけびの実《み》）

ただひとつのために生き
ただひとつのために
枯れてゆく 草よ
そんなふうに生きても
おまえは 誰も
傷つけなかった
富弘

1982

いちじくの木の下に行けば
キリストの声が
聞こえてくるようだ
「ザァカイ！急いで降りてきなさい」
教会へ行けないから
時々
いちじくの木の下へ
行く
そして
ザァカイの
ように
うなずいて
帰ってくる
富弘

ザァカイ……新約聖書に出てくる取税人の名前。不正に税を取り立てて、人々に憎まれていたが、ある日いちじく桑（いちじくの木に似ていて大木になる）に登っていたところを、イエス・キリストに声をかけられ、悪人でも優しく受けとめてくれる神の愛を知り、以後こころを改め、人々のために働く者となった。

1984

雪の道

のろくても いいじゃ
ないか
新しい 雪の上を
歩くような もの
ゆっくり歩けば
足跡が
きれいに残る
富弘

1986

竹が　割れた
こらえに　こらえて　倒れた
しかし　竹よ　その時　おまえが
共に苦しむ　仲間達の　背の雪を
払い落しながら　倒れていったのを
私は　見ていたよ

ほら　倒れている　おまえの上に
あんなに　沢山の　仲間が
起き上っている

富弘

1986

ざくろ

ここは 何かの 中なのでは
ないでしょうか
木の実の中の 一粒の種のように
ある日 空がパッカリ割れて
そこに あなたの顔が
あるような
そんな 気がして
ならないのです

1984

一粒＝ひとつぶ

一日は白い紙
消えないインクで
文字を書く
あせない絵の具で
色をぬる
太く・細く
時には ふるえながら
一日に一枚
神様がくれる
白い紙に
今日という日を綴る

綴る＝つづる 1984

いのちが一番大切だと
思っていたころ
生きるのが苦しかった
いのちより大切なものが
あると知った日
生きているのが
嬉しかった

1986（おだまき）

花《はな》火《び》

何年か前から村役場が中心となって「草木湖《くさぎこ》まつり」というのをやっている。草木湖《くさぎこ》というのは、村の中にある堤高《ていこう》（ダムの水をせき止《と》めているコンクリート壁《へき》の高さ）百四十メートルの大きなダムの別名である。

農業をやる人が少なくなったのにつれ、古くからのお祭りも年々すたれ、隣《とな》り近所《きんじょ》に住んでいても皆《みんな》が集まるという機会《きかい》が少なくなってしまった。

高校を卒業《そつぎょう》すると、若い者はほとんど村を出てしまう。時代の流れはどうしようもなく、せめて出ていった人達に、ふるさとを楽しく思いだしてほしい……できれば、帰ってきてほしい……村長のそんな願いもあるようである。

草木《くさぎ》ダムの見える広場で、昼は東京から歌手をよび、カラオケ大会や八木節《やぎぶし》などをやり、夜は花火大会である。

その日も、母や弟達は花火を近くで見るのだといって、夕方から、草木ダムへ出かけていった。

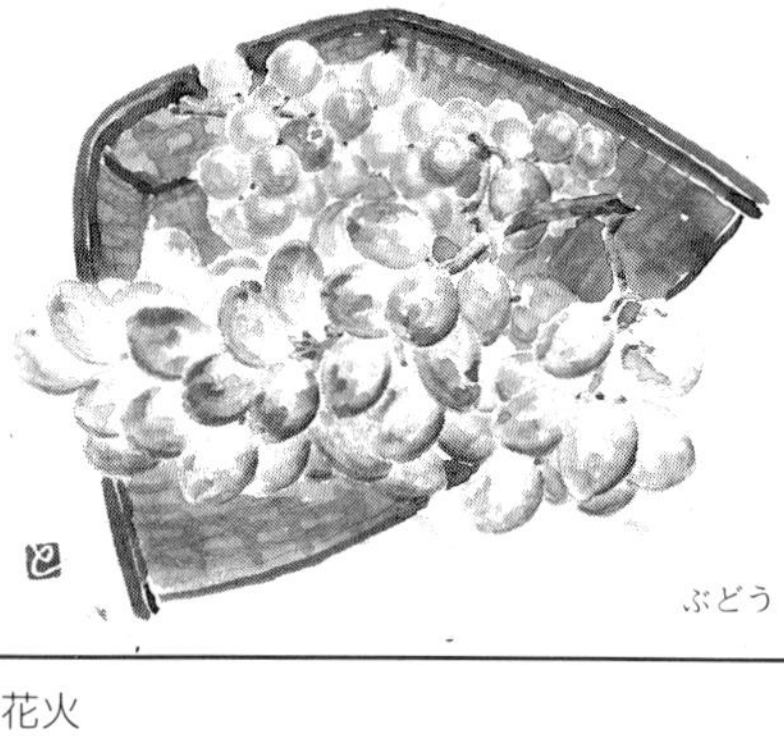

ぶどう

私と妻と父は、家の下の道で、夕食を食べながら見物することにした。家で夕食など食べて、もたもたしていたのでは、終ってしまいそうなのである。花火を見ながら冷たいのを一杯《いっぱい》……ということになり、ビールとつまみも用意した。夕食はぼたもちである。

夜の畔道《あぜみち》だから人も車も通らない。折《お》りたたみ椅子《いす》に腰掛《こしか》けて、父がビールを一口飲んだところに、ほどよく「ドーン」と一発目の花火が、たんぼの向こうに上がった。夏の夜空に繰《く》りひろげられる光と音の饗宴《きょうえん》を眺《なが》めながら、父はビール一本、私はぼたもち一個、妻は二個を食べるという当初の計画も、ここまでは順《じゅん》調《ちょう》だった。

しかし、私達がぼたもちにかぶりついたのが、まるで二番目の合図《あいず》ででもあったかのように、

「こんばんは。」

「おばんがたです。」

「今年は晴れたいねえ。」

と、私達のまわりに、ぞろぞろと人が集まってきたのである。

それまで気がつかなかったが、花火を見物しようとしていた人達が、畔道《あぜみち》のあちらこちらにいたらしい。その人達が、私達三人の影《かげ》を見つけ、それぞれ集まっ

てきたのである。もちろん暗いから、私達の足元《あしもと》にビールやぼたもちがあるのまでは、気がつかない。

花火大会とはいえ、小さな村の予算《よさん》だし、そんなに多くは打ち上げられない。一発一発が、貴重《きちょう》な花火である。「ヒュー」と上がっていく音さえ、村全体がため息をつくように聞こえてしまう。たんぼの間にしゃがみこんで、一人で見るのには、あまりにも淋《さび》しく、もったいない気がする。

あの美しくはかない夜空の花を、誰《だれ》かと一緒《いっしょ》にわかちあいたい……。皆《みんな》、同じ気持になった人々なのだと思った。私も、もし一人であったなら、ビールもぼたもちもなかったなら、人影《ひとかげ》を見つけ、その人のそばに行って、並《なら》んで花火を見たいと思ったのにちがいない。

花火というものは、一人や二人で見るものではないような気がする。それが美しく華《はな》やかならば、それだけ、人は集まって肩をぶっつけ合い、身を寄せあって見物せずにはいられなくなるのではないだろうか。

花火とは違《ちが》うけれど、私は大学で寮生活《りょうせいかつ》をしていた時、一人で夜の公園《こうえん》に桜を見に行ったことがあった。夜中の二時頃だったろうか。花見客が飲みちらかした跡《あと》を、二、三匹《びき》の犬があさっている他は、人っ子一人いなかった。五十本ほどの桜は、外燈《がいとう》の光の中で、それが昼間咲いていたものと同じ桜だとは思えないほど

みょうが

白く美しかった。風が吹けば、枝は自分の意志《いし》で動いているかのように揺《ゆ》れ、満《まん》開《かい》の花の中からは、生暖《なまあたた》かい吐息《といき》のようなものさえ聞こえた。私はベンチに腰掛《こしか》けて、体の底の方からこみあげてくる、泣《な》きだしたいようなものを、止めることができなかった。

花火も、あの時見た満開《まんかい》の花に似《に》ていると思った。

結局《けっきょく》、私達はたんぼの中の道で、肩を寄せあい、最後の一発が終るまで花火を見た。ぼたもちもビールも、集まった人全部に振舞《ふるま》うほどなかったので、最初の一口だけで止めてしまった。

腹の方は、多少すき間ができたけれど、それでよかったと思った。

たった一発、夜空に消えていく花火よりも、五、六発続けて上がる花火の方が幸福《しあわせ》に見えるように、人も、わずらわしいこともあるけれど、できれば肩を寄せあって生きていく方が、満《み》たされるのだと思った。

足跡《あしあと》

畑の土手《どて》に黄色い夕日が沈《しず》んでいくところだった。

作業着《さぎょうぎ》を着た農協《のうきょう》の人が、庭の前に並《なら》べられていた花輪《はなわ》を、せわしなくトラックに積《つ》みこんでいる。

……けっこう数があるなあ……ずいぶん人も来てくれたし、よかった終って。

私は、そばにいた妻《つま》に言った。

花輪《はなわ》が取《と》りはらわれると、前の畑が見えるようになった。三月だというのに、雪でおおわれている。その雪の中に、幾《いく》すじかの足跡《あしあと》が残っている。少しがに股《また》の足跡は、一昨日《おととい》の夕方《ゆうがた》、父が歩いた足跡である。

足跡《あしあと》は、畑の隅《すみ》の電柱の横まで行って、またこちらにもどっている。電柱の横で寒そうに背《せ》を丸め、下の方を眺《なが》めて佇《たたず》んでいた父の後《うし》ろ姿《すがた》が浮かぶ。

私も庭で今と同じ所から、やはり車椅子《くるまいす》に腰掛《こしか》けて、下の方を見ていた。足跡は畑の真中《まんなか》を横切って西の方にも続いている。そのあたりには、行ったり来たりしたたくさんの足跡がある。

母の足跡である。足跡の群《む》れの真中あたりで、しみのように黒く土が出ている

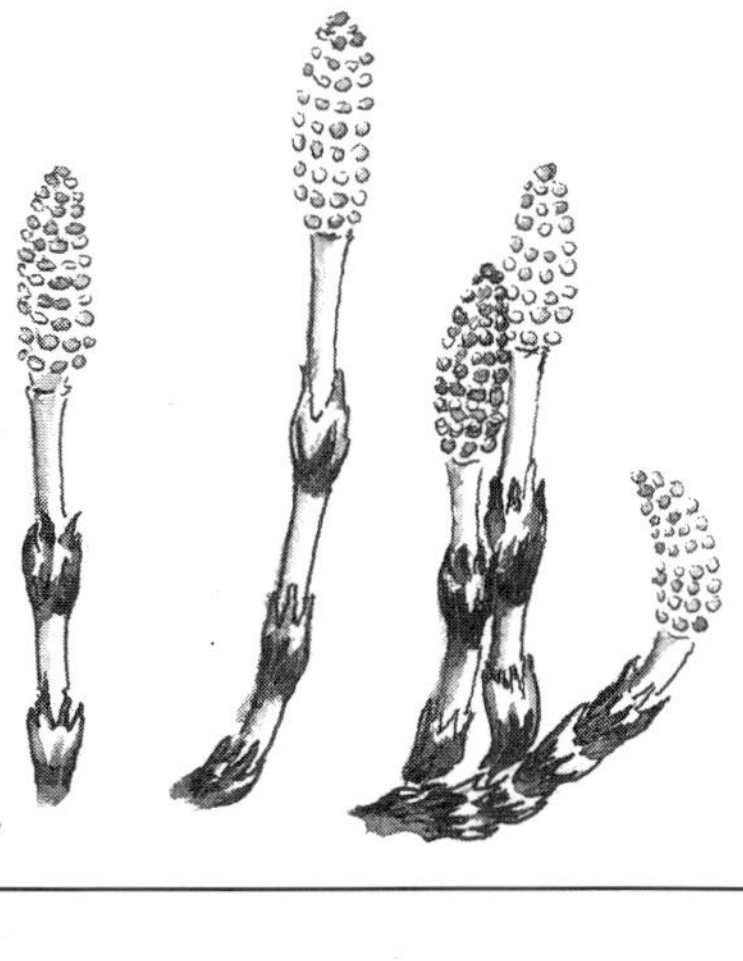

つくし

所は、火を燃《も》やした跡《あと》である。

一昨日《おととい》、私の家は改築工事《かいちくこうじ》を始めたばかりだった。百年近い古い家の屋根をはがし、庭には、すすけた材木が足の踏《ふ》み場《ば》もないほど積《つ》みあげられ、畑の真中《まんなか》にも古い戸板《といた》や茶色い障子《しょうじ》が集められていた。

「これ燃《も》やしちゃおうか、風もないし、まわりは雪だから。」

廃材《はいざい》を運んでいた母が、畑から言った。

「こんな遅《おそ》くなって、火なんか、くっつけるもんじゃあねえ。」

電信柱《でんしんばしら》の横に立っていた父が、つぶやくように答えた。

「大丈夫《だいじょうぶ》だよ、そんなもん、すぐ燃《も》えちまうから。」

私は少し高くなっている庭から言葉をはさんだ。しかし、私の声がまだ残っているうち、

「やめろよ、明日《あした》燃《も》やしゃあいいんだ。」

と、ぶっきらぼうな父の声が重なってきた。父は、相変《あいか》わらず手を腰《こし》の後ろでくみ、下の方を眺《なが》めている姿勢《しせい》のままだった。

「かあちゃん、火、つけちゃいなよ。大丈夫、大丈夫。」

私は、母だけに聞こえるように声をおとして言った。私の方を見て小さくうなずきながら、腰《こし》をかがめた母の手元《てもと》に小さな炎《ほのお》がのぼり、たちまちそれは乾《かわ》いた

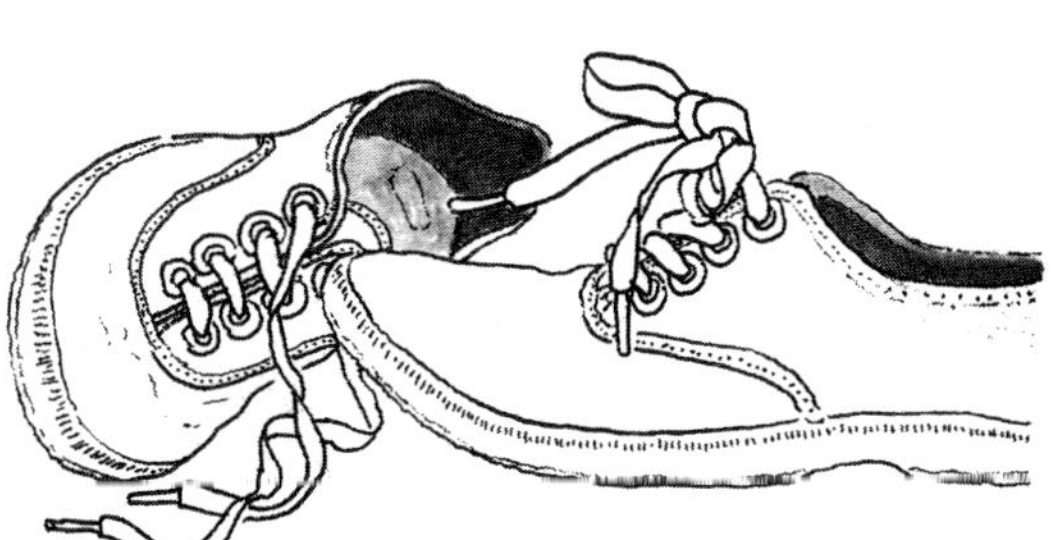

ズック

障子《しょうじ》の桟《さん》に移り、三メートルほどの大きな炎となった。

「よせっちゅんだ。こんな時間に、ばかめ。」

父がどなりながら、火のそばまで歩いていったが、乾ききった古い建具《たてぐ》は、うなりながら夕空に炎を巻《ま》きあげ、さらに燃《も》えた。

「ばか、やめろ！」ふたことみこと、父が言っているようだったが、炎の音にかき消されてしまった。

火は一時間ほど燃えつづけた。暗くなると炎に照らされた雪は、いっそう白く冷たそうだった。

父が突然《とつぜん》死んだのは、その晩《ばん》のことだった。「心筋梗塞《しんきんこうそく》」と診断書《しんだんしょ》に書いてあったという。もう少しで八十才になる三月九日の夜のことだった。

テレビドラマなどで俳優《はいゆう》が演《えん》じる臨終《りんじゅう》の場面を、毎日のように見ていたせいだろうか、特に、父親のように大きな存在が亡《な》くなる時など、子供達を前に長々と何かを言い残して、最後に丁度《ちょうど》よいところで、がっくりと息《いき》を引き取るというパターンを、いつの間にか信じてしまっていたようである。死というものは、昼がいつの間にか夜になるように、静かにやってくるものだと思いこんでいた。

しかし、父には雷《かみなり》が落ちるようにやってきたのである。別の部屋で寝《ね》ていた私には、胸《むね》が苦しいと言いはじめた父のそばへ運ばれていく時間さえ、与《あた》えられな

かった。

「こんなはずはない。こんなことがあっていいはずがない……だいいち、屋根のないこの家で、どうやって葬式《そうしき》をすれば良いのだろう……」

そんな思いが頭の中を駆《か》けめぐっていた。

昭和二十年三月九日夜半。

私が生まれる一年前のその夜のことを、父は何度私に話してくれたことだろう。十八才で、風呂敷《ふろしき》づつみ一つを持って田舎《いなか》をとび出し、二十年かかってやっと東京の下町に築《きず》きあげた自分の家が、空襲《くうしゅう》で灰《はい》になってしまった日のことである。相当大きな家だったという。

初めのうちは、訓練《くんれん》どおり火はたきでたたいたり、砂をかけたりやっていたが、渦《うず》をまいて襲《おそ》ってくる炎《ほのお》の中では、そんなものは及《およ》ぶべくもなく、ついに自分の命さえ危《あぶ》なくなってしまった。炎の地獄《じごく》のような中を逃《に》げまわり、なんとか助かった時の顔は、熱と煙《けむり》で腫《は》れあがり、目もろくに見えない状態《じょうたい》だった。煙《けむり》の出ている死体を跳《と》びこえながら、転《ころ》んだら終りだと思ったそうである。家が燃《も》え、人が焼け死んでいく……瞼《まぶた》に焼きついてしまった光景《こうけい》に、ときどき悲《かな》しみと悔《く》やしさを呼《よ》びもどされているようだった。

一昨日《おととい》、畑の雪の中に佇《たたず》んで下の方を眺めていた父が、何を考えていたのか、私にはわからないが、もしかしたら三十九年前の、その夜のことを思いだしていたのではなかったろうか。だからあの時「……火なんか、くっつけるもんじゃあねえ。」と言ったのにちがいない。

私はその日が、空襲《くうしゅう》のあった三月九日だということに気がつかなかった。畑からもどった父は、あれから夕食を食べ、風呂に入り、いつもより少し早目に床《とこ》についた。父の瞼《まぶた》には、畑で燃えていた炎《ほのお》と重なって、若き日の夢《ゆめ》が消えるように築《きず》きあげたものが焼けおち、隅田川《すみだがわ》の中にも、橋の上にも、折《お》り重《かさ》なって焼《や》け死んでいた人々の姿が映《うつ》っていたのではないだろうか。

日が落ちると雪の中の足跡《あしあと》は、黒い穴《あな》のように見えた。寒いとはいえ、もう春である。あの足跡も、二、三日後には雪とともに、土の中に沈《しず》んでいくことだろう。しかし、決して消えることのない大きな足跡が、新たに私の心の中に残されたような気がした。

しゃくなげ

鈴《すず》の鳴《な》る道《みち》

車椅子《くるまいす》に乗るようになってから十二年が過《す》ぎた。その間、道のでこぼこが良いと思ったことは一度もない。ほんとうは曲りくねった草の生《は》えた土の道の方が好きなのだけれど、脳味噌《のうみそ》までひっくり返るような震動《しんどう》には、お手あげである。だいいち、力の弱い私の電動車椅子《でんどうくるまいす》では止まってしまう。

車椅子に乗ってみて、初めて気がついたのだが、舗装道路《ほそうどうろ》でも、いたる所に段《だん》があり、平らだと思っていた所でも、横切るのがおっかないくらい傾《かたむ》いていることがある。

ところが、この間から、そういった道のでこぼこを通る時に、一つの楽しみが出てきた。ある人から、小さな鈴《すず》をもらい、私はそれを車椅子にぶらさげた。手で振《ふ》って音を出すことができないから、せめて、いつも見える所にぶらさげて、銀色《ぎんいろ》の美しい鈴が揺《ゆ》れるのを、見ているだけでも良いと思ったからである。

道路を走っていたら、例のごとく、小さなでこぼこがあり、私は電動車椅子のレバーを慎重《しんちょう》に動かしながら、そこを通り抜《ぬ》けようとした。その時、車椅子につけた鈴が「チリン」と鳴《な》ったのである。心にしみるような澄《す》んだ音色《ねいろ》だった。

「いい音だなあ。」

私はもう一度その音色が聞きたくて、引き返してでこぼこの上に乗ってみた。

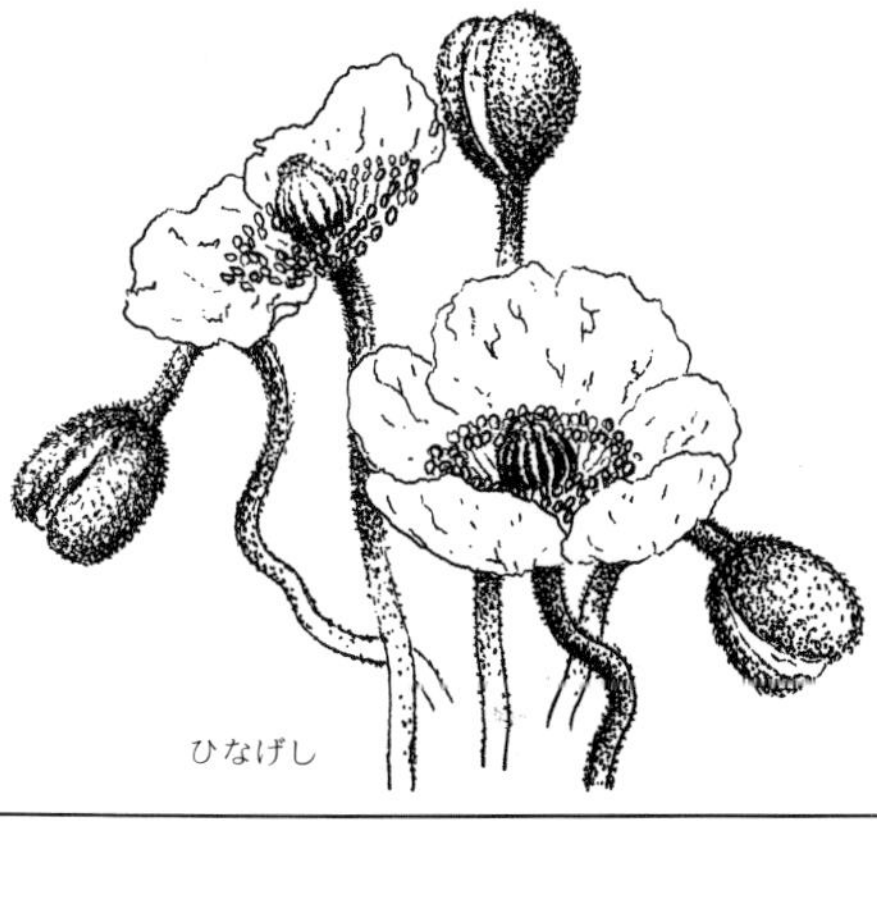

ひなげし

「チリーン」「チリーン」 小さいけれど、ほんとうに良い音だった。

その日から、道のでこぼこを通るのが楽しみとなったのである。

長い間、私は道のでこぼこや小石を、なるべく避《さ》けて通ってきた。そしていつの間にか、道にそういったものがあると思っただけで、暗い気持を持つようになっていた。しかし、小さな鈴《すず》が「チリーン」と鳴る、たったそれだけのことが、私の気持を、とても和《なご》やかにしてくれるようになったのである。

鈴の音を聞きながら、私は思った。

〝人も皆《みな》、この鈴のようなものを、心の中に授《さず》かっているのではないだろうか。〟

その鈴は、整《ととの》えられた平らな道を歩いていたのでは鳴ることがなく、人生のでこぼこ道にさしかかった時、揺《ゆ》れて鳴る鈴である。美しく鳴らしつづける人もいるだろうし、閉《と》ざした心の奥《おく》に、押《お》さえこんでしまっている人もいるだろう。

私の心の中にも、小さな鈴があると思う。その鈴が、澄《す》んだ音色《ねいろ》で歌い、キラキラと輝《かがや》くような毎日が送れたらと思う。

私の行く先にある道のでこぼこを、なるべく迂回《うかい》せずに進もうと思う。

あとがき

ある主婦の方から、こんな手紙をいただいたことがあります。

「子供というのは、必ずしも赤ん坊の姿《すがた》を持って生まれてくるとはかぎりません。あなた方夫婦《ふうふ》が心を一つにして、力を合わせ作りあげたものなら、それが絵であろうと文章であろうと、あなた方夫婦の立派《りっぱ》な子供です。」

ほんとうにうれしいお便《たよ》りでした。

私が一つの作品を仕上げるのに、だいたい十日から十五日かかります。一日にどんなに無理《むり》をしても二時間くらいしか筆《ふで》をくわえられません。また筆につける絵《え》の具《ぐ》や水の量《りょう》などを、私が細《こま》かく言葉で指示《しじ》して、妻《つま》がそれを何度も別の紙にぬり、私に見せながら色を作るという、まことに気の長いやり方で描《か》いています。

こんなことができるのも、決して私達二人の力だけではありません。妻が教会に出《で》かけたり、忙《いそが》しい時は、母が代わりをしてくれます。弟夫婦や妹夫婦も陰《かげ》で助けてくれています。そういう恵まれた中で、午前中絵と詩を描《か》き、午後随筆《ずいひつ》を口述筆記《こうじゅつひっき》してでき上がったのが、この『鈴《すず》の鳴《な》る道《みち》』です。

一冊《いっさつ》の本にまとめ送りだすのは、かわいい子供を旅に立たせるようなものです。どのような方に抱《だ》きあげていただけるのかわかりませんが、まだ会ったことのない人に向かって「よろしくお願いします。」というような心境《しんきょう》です。

なのはな

詩画《しが》のほとんどは、「百万人の福音《ふくいん》」（いのちのことば社）に毎月載《の》せていたものです。一部描《か》きなおしたものもあります。朝日新聞群馬版に載せたものを、新たに描きなおしたものもあります。

花を中心に描きましたが、風景や動物もいくつか入れました。私には花も豚《ぶた》も風景も、同じように美しく見えるのです。

最後になりましたが、この本を情熱をもって編集してくださった偕成社の皆様に感謝《かんしゃ》いたします。

また、私達の創作のためにお祈《いの》りくださっている、前橋キリスト教会の皆様、草のひかり福祉会《ふくしかい》の皆様、そしてお礼の返事は出せませんでしたが、お手紙をくださった方々に、心から感謝《かんしゃ》申し上げます。

一九八六年九月　星《ほし》野《の》　富《とみ》弘《ひろ》

〈付記〉　この本に収めた随筆のうち、「**十二時山**」「**椿の木**」「**鈴の鳴る道**」はＮＨＫ第一放送（一九八五）で、「**サンタクロース**」（一九八〇）と「**梨の木の下で**」（一九八一）は、立風書房の「いつかどこかで」に、「**朝から晩まで**」はＰＨＰ四月号（一九八六）に、「**後ろ向き**」は、いのちのことば社の「百万人の福音」（一九八六）に発表したものです。

星野富弘

一九四六年　四月・群馬県勢多郡東村に生まれる。
一九六二年　四月・群馬県立桐生高等学校入学。（器械体操・登山を始める）
一九七〇年　三月・群馬大学教育学部保健体育科卒業。
　　　　　　四月・高崎市立倉賀野中学校に体育教師として赴任。
　　　　　　六月・クラブ活動の指導中受傷（頸髄損傷）手足の自由を失う。
　　　　　　　　　群馬大学病院整形外科へ入院。
一九七二年十二月・口に筆をくわえて文字を書き始める。
一九七四年　　　・手紙のすみに、花の絵を描き始める。
　　　　　　十月・車椅子に初めて乗る。
　　　　　十二月・病室でキリスト教の洗礼を受ける。
一九七九年　四月・首の動きで運転する電動車椅子に乗れるようになる。
　　　　　　五月・前橋で最初の作品展を開く。
　　　　　　九月・退院、自宅に帰る。
一九八一年　一月・「愛、深き淵より」（立風書房）出版。
　　　　　　四月・結婚。
一九八二年　一月・「風の旅」（立風書房）出版。
　　　　　　四月・高崎で「花の詩画展」開催。
　　　　　　　　　以後、各地で有志が集まり、「花の詩画展」を開く。
一九八六年　六月・「かぎりなくやさしい花々」（偕成社）出版。
一九八六年十二月・「鈴の鳴る道・花の詩画集」（偕成社）出版。
一九八八年　四月・「英文版・かぎりなくやさしい花々」（偕成社）出版。
　　　　　　　　　「英文版・風の旅」（立風書房）出版。
一九九一年　五月・東村立富弘美術館、草木湖畔に開館。
　　　　　十一月・対談「銀色のあしあと」（いのちのことば社）出版。

主な詩画展開催地

川西・桐生・富岡・大宮・京都・館林・関西学院大学・青森・我孫子・神戸・大阪・岡山・大牟田・熊本・姫路・富士・那覇・足利・伊勢崎・松戸・名古屋・米子・東京（世田谷）・千葉・沼津・宇都宮・三田・横浜・藤枝・長崎・川越・船橋・北九州・春日部・岡崎・二の宮町・仙台・筑波学園都市・横須賀・丸子町・水戸・富山・佐久・行田・下妻・長野・相模原・西那須野町・下館・三島・金沢・広島・八王子・太田・呉・竜ヶ崎・柏・立教大学・八尾・福井・東京（葛飾）・三原・厚木・宮崎・延岡・帯広・札幌・東村・神戸・東京（お茶の水）・清水・入間・松山・前橋

鈴《すず》の鳴《な》る道《みち》〈花の詩画集〉

1986年12月　1刷
1992年6月　118刷

著　者　星野富弘
発行者　今村　廣
発行所　偕《かい》成《せい》社《しゃ》
東京都新宿区市ヶ谷砂土原町三-五
編集☎〇三-三二六〇-三二二九　販売☎〇三-三二六〇-三二二一
振替　東京五-一三五二

印刷所　大日本印刷株式会社
製本所　大日本製本株式会社

＊乱丁本・落丁本はおとりかえいたします。

ISBN 4-03-963290-7　NDC 720.8　96p.　26cm

偕成社は、平日も休日も24時間、電話でもFAXでも本のご注文をお受けしています。どうぞご利用ください。電話 03-3260-3221(代)　FAX03-3267-0124

心によびかける本

子どもから大人まで、家族みんなで読んでほしい本

偕成社

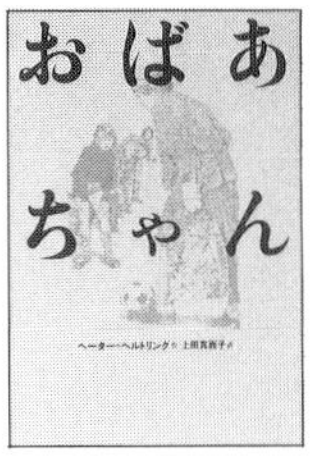

春のわかれ

槇佐知子・文　赤羽末吉・絵

左大臣の貴重な硯《すずり》をわった若者をかばったため、家を追われ、悲しみの中で死んでいく、心美しい13才の若君の物語。今昔物語の一話。

おとなになれなかった弟たちに…

米倉斉加年・著

戦争中10才だった少年は、まだ赤ん坊だった弟のミルクを盗み飲みした。弟はやがて栄養失調で死ぬ。押えた語りの中に悲しく心うつ小篇。

ヨーンじいちゃん

ペーター＝ヘルトリング作　上田真而子・訳

がんこなおじいちゃんの、最後の日々を見守る娘一家の愛情を描き、老いの厳しさと同時に、夕映えにも似た老人の命の輝きを伝える感動作。

おばあちゃん

ペーター＝ヘルトリング作　上田真而子・訳

両親が死んでおばあちゃんに引きとられた5才のカレが、とまどいながらも、誇り高いおばあちゃんの優しさに包まれて成長していく愛の物語。

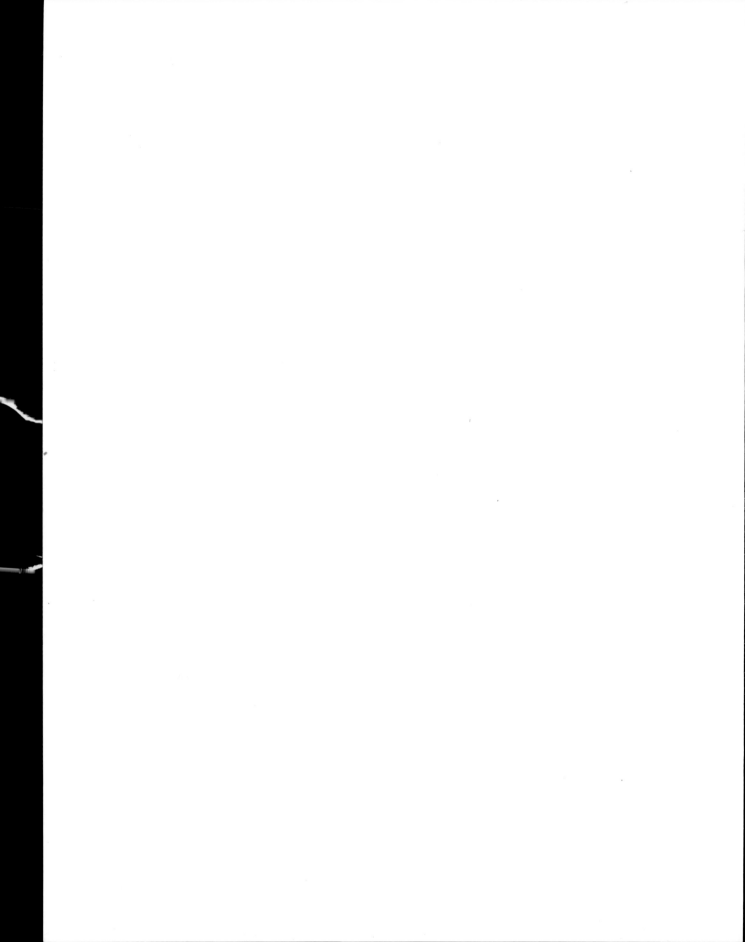